D1166876

Alice
au bal masqué

SÉRIE *ALICE* DANS LA BIBLIOTHÈQUE VERTE

Alice et les cerveaux en péril
Alice et la malle mystérieuse
Alice au Canada
Alice chez les Incas
Alice et les marionnettes
Alice au ranch
Alice et la rivière souterraine
Alice et le diadème
Alice et les hardy boys super-détectives
Alice et l'œil électronique
Alice et le violon tzigane
Alice et l'ancre brisée
Alice et les chats persans
Alice et la diligence
Alice et les diamants
Alice et la bague du gourou
Alice et la réserve des oiseaux
Alice et le cheval volé
Alice et les magiciens
Alice et la dame du lac
Alice et l'architecte diabolique
Alice chez le grand couturier
Alice et l'esprit frappeur
Alice en Écosse
Alice et la Dame à la lanterne
Alice et la poupée indienne
Alice au bal masqué

L'ÉDITION ORIGINALE DE CE ROMAN
A PARU EN LANGUE ANGLAISE
CHEZ GROSSET & DUNLAP,
NEW YORK, SOUS LE TITRE :
THE CLUE OF THE VELVET MASK

Hachette Livre, 43, quai de Grenelle, 75015 Paris.

Caroline Quine

Alice au bal masqué

Traduit de l'américain par Hélène Commin

Illustrations de Philippe Daure

pg. 40-50
Les policiers accusent
Linda sedley du crime.
pg. 51-60
Les indinces montrent
que Mr. Tombar est un
suspet.
pg. 61-70
Alice trouve
le voleur, mais
il est échappé
H
HACHETTE

Chapitre 1

Le bal masqué

« Ce costume te va à ravir, Alice », dit la vieille Sarah. Elle ajouta en souriant : « Il te donne, de plus, un air si mystérieux... »

Alice Roy achevait de s'habiller pour le bal masqué auquel elle était invitée ce soir-là chez les parents de Gloria Harwick, son ancienne camarade de lycée. Elle devait s'y rendre en compagnie de Ned Nickerson qui se faisait souvent son chevalier servant. Pour l'occasion, elle avait revêtu un déguisement de grande dame espagnole : longue robe rouge à volants et mantille de dentelle.

Debout devant son miroir, Alice assura soigneusement la perruque brune qui dissimulait ses boucles blondes. Un loup de satin noir dissimulait son visage, ne laissant voir que les yeux bleus, pétillant de malice derrière les fentes du masque.

« Sais-tu que tu as raison ? dit la jeune fille d'un ton joyeux. J'ai vraiment l'impression de me sentir en plein mystère, comme s'il allait se passer ce soir quelque chose d'extraordinaire... »

Quelques instants plus tard, Alice faisait son entrée dans le salon où son père, James Roy, installé comme à l'habitude dans son fauteuil préféré, lisait le journal du soir.

« Mazette, quelle élégance ! s'écria-t-il en considérant sa fille, l'air amusé. Tu vas sûrement tourner la tête à tous tes danseurs, mais défie-toi du traître à l'œil ténébreux qui, dans les mauvais mélodrames, ne manque jamais de se glisser parmi les invités pour gâcher la soirée... »

Alice se mit à rire.

« Hé ! qui sait ? fit-elle. Moi, en tout cas, je ne réponds de rien ! »

À vrai dire, James Roy ne pouvait songer sans fierté à l'habileté et à la clairvoyance dont sa fille avait fait preuve, dans un passé récent, au cours de plusieurs affaires particulièrement difficiles à élucider. Il appréciait chez elle cet esprit vif et ce jugement sûr qui lui avaient permis de résoudre certaines énigmes tenues jusque-là pour indéchiffrables par les enquêteurs professionnels...

« Mais, dis-moi, fit James Roy, qu'est-il donc arrivé à ton ami Ned ? Il devrait être déjà là, ce me semble... Ma parole, vous allez finir par être en retard ! »

Il était près de huit heures et demie à la pendule du salon. Pourtant Ned avait promis de venir dès huit heures pour revêtir le déguisement qu'Alice avait loué pour lui chez un costumier de River City.

À cet instant, un coup de sonnette retentit.

« C'est Ned ! » s'exclama la jeune fille.

Elle courut ouvrir la porte d'entrée et accueillit son camarade par une grande révérence. En la voyant plonger ainsi dans sa jupe éclatante tout étalée autour d'elle, Ned fut si surpris qu'il en eut un moment le souffle coupé. Puis il laissa échapper un sifflement d'admiration avant de s'écrier :

« Formidable, Alice ! Tu es d'un chic ! Et moi qui trouve le moyen de te faire attendre... Excuse-moi : j'ai dû conduire mes parents au théâtre en voiture avant de venir ici. »

Alice entraîna le jeune homme dans le salon.

« Viens voir le costume que j'ai trouvé pour toi.

— Hé là, pas si vite, protesta Ned. D'abord est-il vraiment nécessaire que je me déguise, moi aussi ?

— Bien sûr, voyons ! Ce travesti est superbe et je suis certaine qu'il te plaira beaucoup. C'est Linda Sedley qui m'a aidée à le choisir.

— Linda ? Qui est-ce ?

— Une vieille amie : nous allions à l'école

primaire ensemble... Elle est maintenant employée chez Parnell, le patron du Joyeux-Carnaval, la maison où je me suis adressée pour louer nos costumes. »

Tout en parlant, Alice était allée chercher un immense carton. Puis elle l'ouvrit et, feignant mille précautions, en sortit un somptueux costume de grand seigneur espagnol du XVIIIe siècle.

« Regarde, Ned ! s'écria-t-elle. Un chapeau à plumes, des souliers à talons... un jabot en mousseline... et jusqu'à des manchettes de dentelle ! Qu'en dis-tu ? Tu auras aussi fière allure qu'un vrai grand d'Espagne, je t'assure !

— Ce serait bien le moins, pour escorter une aussi jolie dame que toi, repartit le jeune homme avec malice. Allons, puisque tu y tiens tellement, je vais essayer de mettre ces oripeaux.

— Je vais vous aider à vous habiller, Ned », proposa James Roy.

Les deux hommes montèrent dans une chambre du premier étage.

Enfin le jeune homme fit son apparition au sommet de l'escalier. Il salua d'un grand coup de chapeau et, prenant une attitude théâtrale, demanda :

« Qu'en dis-tu, Alice, et comment me trouves-tu ?

— Superbe ! Cet habit te va comme un gant. »

James Roy accompagna les deux amis jusqu'à

la voiture que le jeune homme avait garée devant la maison.

« Et surtout, Ned, si ma fille s'avisait de vous entraîner dans l'une de ces mystérieuses aventures dont elle semble avoir le secret, prenez bien garde à ne pas gâter votre bel habit, conseilla James Roy, l'air moqueur. Rappelez-vous que vous ne l'avez qu'en location !

— Soyez tranquille, dit Ned. Mais j'espère que vous serez bon prophète et que cette soirée nous réservera en effet de l'imprévu.

— Je n'en serais pas étonné, répliqua James Roy. Ouvrez l'œil... »

À ces mots, Alice se tourna vivement vers son père.

« Dis donc, papa, fit-elle intriguée, j'ai l'impression que tu en sais plus long que tu ne veux l'avouer : tu sembles vraiment persuadé qu'il va se passer ce soir des choses extraordinaires.

— Peut-être...

— Oh ! je t'en prie, raconte-nous de quoi il s'agit ! Pourquoi tant de mystère ?

— Si tu as lu les journaux ces jours-ci, tu dois savoir que des vols importants ont été commis depuis peu à l'occasion des réceptions données dans les maisons les plus riches des environs. À chaque fois, les cambrioleurs ont fait main basse sur des bijoux ou des bibelots de grand prix et le montant de ces larcins se chiffre par millions. »

Alice écoutait ces paroles, haletante.

« Ainsi, tu crois que les voleurs pourraient opérer ce soir chez les Harwick ? dit-elle.

— Les circonstances s'y prêteraient assez, mais ceci n'est de ma part qu'une simple impression : je n'ai en réalité aucun renseignement précis. Je vous conseille seulement d'être sur vos gardes, Ned et toi. »

Alice brûlait d'envie de poser d'autres questions à son père, mais l'heure était tardive. Les deux jeunes gens se mirent en route pour *Bellevue*, la résidence de la famille Harwick.

La fête battait déjà son plein lorsqu'ils arrivèrent. Dans la salle de bal, brillamment éclairée par d'immenses lustres de cristal, se pressait la foule des danseurs.

« Je ne reconnais personne », déclara Alice en regardant évoluer les couples masqués.

Une ballerine en tutu passa devant elle, dansant une sorte de charleston au bras d'un troubadour. Puis ce fut le tour d'un Pierrot et de sa Colombine, suivis de près par un soldat de bois qui tourbillonnait avec une poupée au teint de porcelaine. Cependant un superbe Arlequin et un Polichinelle attiraient les regards de tous, l'un par son costume bariolé, l'autre par la grosse bosse qu'il portait dans le dos.

Ned et Alice ne devaient pas tarder à être abordés par deux de leurs meilleures camarades, Bess Taylor et sa cousine Marion Webb, qui venaient de les reconnaître. La première ressemblait à une héroïne échappée de *Autant en emporte le vent,* dans sa robe de mousseline à crinoline et à petit fichu comme en portaient les jeunes filles des États du Sud avant la guerre de Sécession. Marion était en page, travesti qui lui seyait à ravir, avec sa silhouette gracile et ses courts cheveux bouclés.

« La fête est très réussie, n'est-ce pas ? dit-elle avec enthousiasme. Malheureusement, il commence à y avoir un peu trop de monde pour danser...

— Avez-vous vu les bandits ? questionna Alice — et comme ses amies la regardaient avec effarement, elle les mit au courant de ce que lui avait appris son père.

— Mais c'est épouvantable ! s'exclama Bess tandis que s'approchaient Danny Scott et son frère Bill, cavaliers des deux jeunes filles.

— Si les voleurs sont ici, ils portent naturellement le masque, comme tout le monde, et rien ne peut leur faciliter davantage la besogne, fit observer Marion. Moi, je me sens déjà en plein mystère, au milieu de tant de personnes et de costumes étranges...

— Oh ! tais-toi : tu vas finir par m'impressionner... », s'écria Bess.

Et elle offrit à Ned et à Alice de les emmener au vestiaire où ils pourraient se débarrasser, l'un de sa gabardine, l'autre de son manteau de soirée. Marion, Bill et Danny se joignirent à eux et l'on monta au second étage de la maison où plusieurs pièces avaient été mises à la disposition des invités.

En redescendant, Alice s'arrêta sur le palier du premier et proposa à ses compagnons de visiter rapidement la bibliothèque. Dans celle-ci était en effet exposée une célèbre collection d'objets d'art constituée par l'amateur averti qu'était M. Harwick.

Les jeunes gens pénétrèrent dans une petite pièce où s'entassaient des fragments de sculpture antique, des vases grecs, des faïences et des émaux. Des tableaux de maîtres couvraient les murs. Avisant une vitrine installée au centre de la bibliothèque, Alice s'en approcha et y découvrit le trésor qui faisait l'orgueil de la famille Harwick : c'étaient de précieuses miniatures, les unes d'argent ou d'ivoire ciselé, les autres peintes sur porcelaine. À sa grande surprise, la jeune fille s'aperçut que la vitrine n'était pas fermée à clef.

« Quelle imprudence ! s'exclama-t-elle. C'est à croire que l'on veut simplifier la besogne des cambrioleurs !

— Oh ! je vous en prie, parlons d'autre chose, s'écria Bess avec impatience. Nous sommes venus ici pour nous amuser, non pour raconter des histoires de brigands ! »

Ned se mit à rire.

« Bien dit, Bess, approuva-t-il. Et maintenant, allons danser ! »

Les jeunes gens se précipitèrent dans l'escalier qu'ils descendirent en trombe, puis ils coururent se mêler à la foule qui remplissait la salle de bal. L'orchestre était excellent et, quelques instants plus tard, Alice, oubliant toute préoccupation, ne songeait plus qu'à se laisser guider et à évoluer au rythme de la musique. Ned était un excellent cavalier et, quand les musiciens attaquèrent une samba, il entraîna sa partenaire dans une danse endiablée. Le morceau terminé, Alice s'arrêta, hors d'haleine. Soudain, elle aperçut son amie Linda Sedley, debout devant les longues tables qui formaient le buffet.

Voyant que la jeune fille était seule dans l'assistance à ne porter ni masque ni travesti, Alice comprit qu'elle devait se trouver là non pas en qualité d'invitée, mais envoyée par son patron, M. Parnell, qui, à ses activités de costumier, ajoutait celles de traiteur.

Entraînant Ned, Alice se faufila dans la foule afin de rejoindre son amie. Puis elle releva son masque pour se faire reconnaître.

« Bonjour, Linda, dit-elle.

— Alice ! Oh ! que je suis heureuse de te voir, s'écria la jeune fille. Alors, es-tu contente de ton costume ?

— Bien sûr », répondit Alice.

Puis elle présenta Ned à Linda.

« Comment trouves-tu cette fête ? reprit Linda.

— Très réussie : orchestre, décor, atmosphère, tout est parfait.

— J'en suis ravie, parce que tout a été organisé par la maison Parnell et, personnellement, j'y ai beaucoup travaillé. Remarque que je ne serais pas ici ce soir si M. Tombar, mon chef de service, n'avait pas eu un empêchement au dernier moment. Il m'a chargée de le remplacer et je t'assure que je ne suis pas tranquille. Pourvu que tout se passe bien jusqu'au bout !

— Mais naturellement, voyons ! » fit Alice.

Linda prit un air soucieux.

« L'ennui, dit-elle, c'est que nous n'avions pas compté sur une telle affluence...

— Tiens, comment cela se fait-il ? questionna Ned, surpris. Des gens seraient-ils venus sans avoir été invités ?

— Je le crains, répondit Linda. Nous avions pourtant recommandé à Mme Harwick de faire surveiller l'entrée et vérifier les cartes d'invitation, mais elle n'a rien voulu entendre et s'est même opposée à ce que nous exercions le moindre contrôle sur les personnes qui se présenteraient. »

Dans la salle de bal, la foule était devenue si dense que la chaleur commençait à s'y faire écrasante. Alice et Ned sortirent dans le jardin afin de pouvoir se démasquer et prendre un peu l'air. Ils s'assirent sur un banc et y passèrent quelques instants à savourer la fraîcheur de la nuit. Puis, comme ils se levaient pour retourner danser, Alice s'aperçut que son loup avait disparu.

« J'ai dû le perdre dans l'allée », dit-elle.

Les deux jeunes gens se hâtèrent de revenir en arrière, mais ne purent découvrir l'objet disparu. Tandis qu'ils poursuivaient leurs recherches dans la pénombre, ils entendirent des pas crisser sur le gravier de l'allée.

Soudain un homme apparut. De haute taille, drapé dans une ample cape noire, il tournait à demi le dos aux jeunes gens et ne s'aperçut pas de leur présence.

L'inconnu ne portait pas de masque. Alice et Ned le virent s'arrêter devant un rosier grimpant qui, palissé le long de la façade de la maison, s'élevait jusqu'à la hauteur du premier étage. Puis il s'avança et, posant le pied gauche sur l'un des rameaux, il leva le bras droit aussi loin qu'il put comme pour s'assurer une prise dans le feuillage.

« Qu'est-ce que cela signifie ? » murmura Ned.

Bien que ces mots eussent été prononcés à voix basse, l'homme les entendit sans doute, car il s'écarta du mur aussitôt et se jeta dans l'ombre des arbustes qui bordaient l'allée. Ses pas s'éloignèrent rapidement.

« Je me demande s'il ne cherchait pas à atteindre les fenêtres de la bibliothèque, au premier étage, dit Alice. Qu'en penses-tu, Ned ?

— Ma foi, cela ne serait pas impossible, car ce rosier vaut bien une échelle », répondit le jeune homme en s'approchant du mur.

Au pied du rosier, il vit un objet sombre qu'il ramassa. C'était une cagoule de velours noir. Sans doute appartenait-elle au mystérieux promeneur.

« Tiens, Alice, puisque tu as perdu ton masque, essaie donc celui-ci pour voir s'il te va », proposa Ned.

Jamais, en temps ordinaire, Alice n'aurait retenu semblable proposition, mais son instinct lui souffla qu'elle n'allait peut-être pas tarder à se trouver sur la piste des bandits dont lui avait parlé son père. Aussi répondit-elle à son compagnon :

« C'est une idée, Ned. Je vais mettre cette cagoule et je la garderai jusqu'à ce que nous retrouvions notre homme de tout à l'heure. »

Les jeunes gens regagnèrent la salle de bal. Cependant, la cohue y était devenue telle qu'il leur fallut bientôt renoncer à découvrir le personnage qu'ils cherchaient. Ils avaient abandonné tout espoir quand l'inconnu surgit auprès d'eux à l'improviste et enleva Alice à son cavalier ! L'orchestre venait en effet d'attaquer l'une de ces vieilles danses en honneur dans les bals anglo-saxons et au cours desquelles les danseurs doivent changer de partenaire le plus souvent et le plus rapidement possible.

L'homme était masqué, mais, au contraire de la plupart des invités qui portaient un simple loup, son visage était entièrement dissimulé par une cagoule de velours noir toute pareille à celle d'Alice... Ned n'avait pas eu le temps de revenir de sa surprise que le mystérieux danseur s'était déjà perdu dans la foule, entraînant la jeune fille à son bras.

« J'ai eu un mal inouï à vous dénicher dans cette cohue, dit-il à sa cavalière d'un ton rageur. Aussi, pourquoi diable ne vous êtes-vous pas déguisée en sultane comme vous me l'aviez dit ? Sans votre cagoule, je ne vous aurais pas reconnue ! »

Alice écoutait en silence, le cœur battant. Ainsi donc, la personne qui avait perdu son masque dans le jardin portait un costume d'Orientale...

« Vous n'êtes qu'une sotte, poursuivit l'inconnu avec colère. Notre plan risquait d'échouer par votre faute. »

À cet instant, l'homme aperçut Ned qui semblait à la recherche de sa partenaire.

« Allons bon, voilà encore cet imbécile, fit-il à mi-voix. Il tient décidément à danser avec vous. Tâchez de vous débarrasser de lui au plus vite ! »

Il n'eut que le temps de glisser un billet dans la main de sa cavalière avant que Ned ne vienne lui taper légèrement sur l'épaule et n'entraîne la jeune fille à son tour.

Alice était parvenue à dissimuler la surprise que lui avait causée le geste de l'inconnu. Elle fit quelques tours de valse sans mot dire, puis dès qu'elle fut certaine que l'homme à la cagoule l'avait perdue de vue, elle attira Ned à l'abri d'un bouquet de plantes vertes et lui expliqua rapidement ce qui venait de se passer.

Elle se hâta de déplier le billet qu'on lui avait remis et lut à voix basse :

« *La Compagnie de lattage de l'Est propose des châssis de fenêtre. Marchandise de premier choix. Livrée au comptant. Derrière les vitres, tous les nuages seront gris argent.*

— Ça n'a aucun sens, murmura Ned. C'est sûrement une farce.

— Je ne le crois pas, répondit Alice gravement. Ce doit être un message, mais il est codé, et il faut à tout prix que nous le déchiffrions. Il y va sans doute de la fortune des Harwick et de leur sécurité, en même temps que de celle de tous les gens qui sont ici ce soir ! »

Chapitre 2

Un coup d'audace

Alice et Ned relurent ensemble le mystérieux billet, pesant chaque mot afin d'en découvrir le sens caché.

« *Compagnie de lattage de l'Est*..., répéta Ned, songeur. Il y a bien à River City une scierie où l'on ne débite que des voliges et des lattes, mais ce n'est pas ce nom-là. Et puis, on n'y vend pas de fenêtres... Et s'il était question de ce lattage qui couvre la façade de la maison, à l'endroit où se trouve le rosier grimpant ?

— Tu as raison, s'écria Alice. Le mur est justement à l'est !

— Mais oui, c'est bien cela ! » fit Ned avec enthousiasme. Cependant, son visage se rembrunit presque aussitôt. « N'empêche que nous ne sommes guère plus avancés que tout à l'heure.

— Écoute, Ned, reprit la jeune fille. Tu te

rappelles certainement que l'homme au manteau noir semblait beaucoup s'intéresser à certaines fenêtres du premier étage. Or, ce sont comme par hasard celles de la bibliothèque... Cela ne te met pas la puce à l'oreille ?

— Voudrais-tu dire qu'il pourrait être question de cambrioler les collections de M. Harwick ?

— Parfaitement, et si nous parvenons à déchiffrer le message que voici, cela nous permettra peut-être de couper l'herbe sous le pied des voleurs.

— Mais, Alice, comment faire ? Il nous faudrait connaître la clef du code utilisé pour composer les phrases... »

Alice hésita un instant avant de répondre. Puis elle reprit, l'air pensif :

« Tu sais, Ned, j'en viens à me demander si ce message est vraiment codé... Suppose que l'on se contente de négliger les mots inutiles, et...

— Ça y est, j'y suis ! s'exclama Ned. Écoute un peu cela : *lattage... Est... fenêtre... premier... au comptant...* Qu'en dis-tu ?

— Rien de plus clair en effet, approuva la jeune fille. Non seulement la bibliothèque se trouve au premier étage, mais encore je crois me rappeler que l'une de ses fenêtres est justement la première en partant de l'angle de la façade. Il est probable que celle-là s'ouvre plus facilement que les autres. Quant à ces mots : *au comptant...*

ils signifient, bien sûr, qu'il y a beaucoup d'argent et d'objets de valeur à prendre pour le voleur qui escaladera la façade en s'aidant du lattage...

— Mais comment interprètes-tu la dernière phrase : *Derrière les vitres, tous les nuages seront gris argent* ?

— Ma foi, j'ai beau chercher : j'avoue que je ne comprends pas de quoi il s'agit. À moins que... »

Alice s'interrompit brusquement, car une idée venait de lui traverser l'esprit. Puis elle s'écria, triomphante :

« J'ai trouvé !

— Quoi donc ? fit Ned.

— *Derrière... vitres... argent* : ce sont les miniatures d'argent ciselé que nous avons vues dans la vitrine !

— Bravo, Alice ! Voici l'énigme résolue et je parie que les bandits s'apprêtent à opérer ici ce soir, d'un moment à l'autre peut-être...

— Ce qui veut dire que nous n'avons pas une minute à perdre si nous voulons les en empêcher », reprit la jeune fille. Et elle poursuivit d'un ton ferme : « Ned, va vite te poster au pied du rosier, sous les fenêtres, afin d'éviter qu'on escalade la façade. Moi, je cours à la bibliothèque voir ce qui s'y passe !

— Tu ne crois pas qu'il vaudrait mieux commencer par prévenir la police ? objecta Ned.

— Ne t'inquiète pas : je m'en occuperai en

arrivant là-haut, assura Alice. J'ai remarqué qu'il y avait un appareil téléphonique sur le palier du premier. J'espère que les fils n'auront pas déjà été coupés ! »

Ned s'esquiva aussitôt, tandis qu'Alice se dirigeait vers l'escalier monumental qui menait au premier étage.

L'heure était critique. Dans le passé cependant, Alice Roy s'était trouvée plus d'une fois dans la nécessité de prendre d'urgence des décisions héroïques. Aux prises avec les circonstances les plus difficiles, elle gardait sa lucidité et savait apprécier rapidement ses chances de succès. Ce don précieux avait largement contribué à lui assurer la considération et la réputation d'habileté dont elle jouissait à River City.

La première affaire dans laquelle elle s'était distinguée lui avait été confiée par son père, James Roy, avocat de grand renom. C'était celle de l'héritage de Josiah Crosley. La sagacité dont Alice y avait fait preuve lui avait valu ce titre de « détective » que tout le monde lui donnait à présent.

Depuis la mort de Mme Roy, survenue plusieurs années auparavant, c'était la vieille Sarah qui dirigeait la maison de l'avocat. Elle aimait Alice comme sa propre fille et ne cessait de se tourmenter en songeant aux situations parfois périlleuses dans lesquelles risquait de se trouver la jeune fille.

Cependant Alice, uniquement préoccupée de

déjouer le plan des cambrioleurs, ne songeait pas le moins du monde au danger qu'elle pouvait courir dans cette entreprise. Elle gravit l'escalier en toute hâte et atteignit le palier du premier étage. Elle s'élança vers la porte de la bibliothèque, mais s'arrêta net : quelqu'un venait de se jeter au travers de son chemin ! C'était une femme costumée à la turque. Ses vêtements de soie, pailletés et rehaussés de broderies d'argent, étincelaient de mille feux.

Était-ce là cette mystérieuse « Orientale » qui avait manqué à sa promesse de porter une cagoule de velours noir ? Son visage se dissimulait pour l'instant sous un loup de satin à bavolet de dentelle, masque qui ressemblait étrangement à celui perdu par Alice dans le jardin.

La jeune fille considérait l'inconnue avec stupeur. Le regard des yeux qu'elle sentait fixés sur elle était coupant, l'expression de la bouche méchante. Mais elle n'eut pas le temps d'en voir davantage : subitement toutes les lumières de la maison s'éteignirent.

L'Orientale bondit, saisit les poignets d'Alice et, les maintenant d'une seule main, lui appliqua l'autre sur la bouche pour l'obliger au silence. Bien qu'à demi étouffée sous sa cagoule, la jeune fille résista de toutes ses forces. Cependant, son adversaire se révélait d'une vigueur stupéfiante et la lutte se poursuivit dans l'obscurité, indécise, mais acharnée, tandis qu'au rez-de-chaussée, dans la grande salle, retentissaient des appels et des cris affolés.

La femme s'efforçait à présent d'arracher le masque d'Alice. Celle-ci opposait une résistance désespérée, car un instinct mystérieux l'avertissait qu'elle devait conserver sa cagoule à tout prix. Soudain, elle sentit l'inconnue lâcher prise, puis l'entendit se précipiter dans l'escalier et le descendre quatre à quatre.

Encore étourdie par la rapidité avec laquelle s'était déroulée cette scène, Alice se débarrassa de son masque afin de reprendre haleine. Elle s'avança ensuite à tâtons vers l'entrée de la bibliothèque. Tout à coup, la porte s'ouvrit et, dans l'éblouissement des lumières brusquement revenues, Alice vit surgir devant elle une domestique épouvantée.

« Au secours ! hurlait-elle. Vite, qu'on prévienne la police ! La maison vient d'être cambriolée ! »

Comme la femme s'élançait vers l'escalier, Alice l'arrêta au passage et lui imposa silence. Il ne fallait surtout pas semer la panique parmi la foule qui se pressait dans les salons du rez-de-chaussée.

« Cessez ce tapage, s'il vous plaît, dit la jeune fille d'un ton ferme. Et maintenant dépêchez-vous de me raconter ce qui s'est passé. Les voleurs ont-ils pénétré dans la bibliothèque ?

— Je pense bien... il y a dix minutes... par la fenêtre, répondit la bonne tout d'un trait. J'étais en train de regarder une vitrine quand je sens une main qui se plaque sur ma bouche. Et voilà qu'on m'attrape par-derrière. Dame, je n'ai même pas eu le temps de me reconnaître : la minute d'après, je me retrouvais bâillonnée, avec les poignets attachés et un bandeau sur les yeux !

— Comment êtes-vous parvenue à vous délivrer ? questionna Alice.

— Ça n'a pas été sans mal, mais à force de me tortiller dans tous les sens, j'ai fini par y arriver, juste au moment où la lumière se rallumait. Seulement, c'était trop tard : à part les tableaux accrochés au mur, on avait tout enlevé !

— Même les miniatures ?

— Oui, mademoiselle... tout ce qui était facile à emporter.

— Par où le voleur est-il parti ? A-t-il pris l'escalier ou bien est-il passé par la fenêtre ?

— Ma foi, je n'en sais rien : il n'a pas fait plus de bruit qu'un chat...

— Vous dites que c'était un homme, mais en êtes-vous bien sûre ? continua Alice. Ne s'agissait-il pas plutôt d'une femme déguisée en Orientale ?

— Oh ! non, répondit l'autre sans la moindre hésitation. Je sais de qui vous voulez parler : je l'ai vue rôder sur le palier quand je suis entrée dans la bibliothèque. Pour moi, elle devait faire le guet... »

Aucun doute n'était plus permis : le récit qu'Alice venait d'entendre prouvait amplement que cet audacieux cambriolage était l'œuvre de gens expérimentés. La femme postée sur le palier n'était de toute évidence qu'une complice dont le rôle consistait à faciliter la retraite du cambrioleur.

Alice dévala l'escalier en toute hâte et courut rejoindre Ned dans le jardin.

« Que se passe-t-il donc ? demanda-t-il avec inquiétude. J'ai vu les lumières s'éteindre tout à l'heure...

— On a cambriolé la maison ! répondit Alice, haletante.

— Certainement pas la bibliothèque, en tout cas !

— Hélas ! si, et le bandit a dû se sauver par la fenêtre.

— Mais c'est impossible ! s'exclama Ned. Personne n'est passé ici depuis que j'y suis !

— Alors, le voleur a pris le large avant que tu ne viennes monter la garde, à moins qu'il n'ait profité de la coupure d'électricité pour sortir tout bonnement par la porte de la maison, déclara la jeune fille. Tiens, qu'est-ce que c'est que cela ? »

Elle demeura un instant bouche bée, absorbée dans la contemplation d'un minuscule lambeau d'étoffe accroché à l'un des clous dépassant le lattage du rosier.

« C'est un morceau de la grande cape que

portait notre mystérieux rôdeur, j'en jurerais ! » s'écria-t-elle. Elle dégagea le tissu avec précaution, puis l'examina de près. « Aucun doute, conclut-elle. Voici qui est un précieux indice... Viens vite, Ned, il s'agit de vérifier si cet homme est encore là ! »

Les deux amis regagnèrent la salle de bal, mais l'étrange personnage avec qui Alice avait dansé ne se trouvait plus parmi les invités...

Tous les visages étaient maintenant démasqués. Linda Sedley venait de téléphoner à la police et l'on attendait l'arrivée des enquêteurs. Le désarroi de la jeune fille faisait peine à voir, car elle redoutait que M. et Mme Harwick ne rejettent sur elle la responsabilité du désastre.

Alice et Ned organisèrent une véritable battue dans les jardins et dans le parc, puis l'on fouilla la maison de fond en comble. Mais il fallut bien se rendre à l'évidence : la dame turque avait disparu, ainsi que son compagnon, l'homme à la grande cape romantique.

Sur ces entrefaites, le hurlement d'une sirène annonça l'arrivée du car de police. Une dizaine d'hommes en descendirent et commencèrent immédiatement l'enquête. L'examen des lieux auquel ils procédèrent devait révéler que le voleur s'était introduit dans la bibliothèque par la première fenêtre en partant de l'angle de la façade. En outre, les dires d'Alice et de la domestique persuadèrent les policiers que le bandit avait eu deux complices à l'intérieur de la maison : une femme déguisée en Orientale et un autre personnage chargé de fermer le compteur électrique au moment opportun.

Ces premiers points acquis, les enquêteurs passèrent à l'interrogatoire de tous les invités. Quand vint le tour d'Alice et de Ned, ils écoutèrent avec un extrême intérêt le récit que les jeunes gens firent des événements de la soirée. Mais leur surprise atteignit son comble lorsque Alice mit sous leurs yeux les pièces à conviction qu'elle détenait. Il y avait là le billet reçu du bandit, le morceau de tissu arraché à sa grande cape et enfin la cagoule de velours noir qu'aurait dû porter sa complice...

« N'êtes-vous pas Mlle Alice Roy, la jeune détective ? s'enquit le lieutenant de police Kelly.

— Si, monsieur.

— Eh bien, mademoiselle, reprit l'officier, je ne puis que vous féliciter pour les précieux indices que vous êtes parvenue à rassembler. Voyons, nous disions que cet homme qui vous a fait danser portait un masque pareil à celui-ci ?

— Parfaitement », répondit Alice. Puis, marquant un temps, elle demanda : « Pouvez-vous m'autoriser à emporter cette cagoule chez moi ? J'aimerais la montrer à mon père et savoir ce qu'il en pense. »

Le policier réfléchit un instant.

« C'est entendu, mademoiselle, dit-il enfin. Si j'en ai besoin, je vous préviendrai... »

Tandis que se poursuivait cette conversation,

l'un des enquêteurs, le brigadier Ambrose, avait commencé l'interrogatoire de Linda Sedley. La jeune fille semblait terrifiée devant ce solide gaillard à la mine sévère, aux manières bourrues.

« Vous êtes bien la personne que l'on avait chargée d'organiser cette fête, n'est-ce pas ? fit l'homme avec rudesse.

— Oui, monsieur, répondit Linda d'une voix blanche. Mais je ne me trouve ici ce soir qu'en l'absence de M. Tombar. Empêché de venir à la dernière minute, il m'a priée de le remplacer. »

Pendant le quart d'heure qui suivit, le brigadier Ambrose soumit la jeune fille à un feu roulant de questions.

Comprenant que le policier cherchait à la mettre en cause, Linda ne proférait que des réponses hésitantes et maladroites, tandis que les questions se faisaient de plus en plus précises. Finalement, Ambrose coupa court.

« Nous allons voir ce que pense le chef de tout cela, décida-t-il. Je vous emmène. »

À ces mots, la jeune fille éclata en sanglots et, se précipitant vers Alice qui accourait, elle se jeta à son cou.

« Oh ! je t'en prie, dis quelque chose, supplia-t-elle. Je ne veux pas aller en prison ! Comment vais-je sortir de là ? Viens à mon secours ! »

Chapitre 3

Alice se renseigne

Alice savait que le policier ne pouvait arrêter Linda sans posséder la moindre preuve qu'elle eût trempé dans l'affaire. Pourquoi, dans ces conditions, cherchait-il ainsi à l'effrayer ?

« Mlle Sedley n'a eu aucune part dans ce cambriolage, dit Alice fermement. Ce soir même, lorsque je suis arrivée, elle m'a fait part de ses inquiétudes en constatant que l'affluence était aussi grande. Beaucoup de gens s'étaient manifestement introduits dans les salons sans invitation... »

Ambrose se tourna vers Mme Harwick.

« Est-ce exact, madame ? demanda-t-il.

— Je l'avoue, répondit la maîtresse de maison. Et je reconnais que nous nous sommes montrés fort imprudents en négligeant les avertissements de Mlle Sedley. »

Tout à coup, Ambrose s'aperçut que la jeune personne qui avait pris la défense de Linda Sedley quelques instants plus tôt n'était autre qu'Alice Roy, la fille du meilleur avocat de River City.

« Ma foi, mademoiselle, lui dit-il alors, si vous pouvez répondre de Mlle Sedley, je suis prêt à vous croire sur parole.

— Linda est mon amie, fit Alice simplement.

— Cela me suffit », déclara le policier d'un ton courtois.

Alice glissa son bras sous celui de sa compagne qu'elle entraîna aussitôt.

« Viens avec moi, dit-elle. Je vais demander à Ned de te ramener chez toi. »

Un peu plus tard, la voiture de Ned roulait sur la route de River City lorsque Alice eut tout à coup l'esprit traversé par un trait de lumière.

« Dis donc, Linda, s'écria-t-elle, quelqu'un ne serait-il pas venu louer une grande cape noire chez ton patron ?

— Je ne crois pas, bien que nous ayons fourni un assez grand nombre de costumes pour le bal de ce soir.

— Avez-vous loué des masques aussi ? continua Alice anxieusement.

— Oui, mais pas un seul comme le tien... »

Quand Alice rentra chez elle, elle trouva son père qui l'attendait en étudiant le dossier d'une affaire qu'il devait plaider le lendemain.

La jeune fille se laissa tomber dans le grand fauteuil de cuir.

« Tiens, regarde ce que je t'apporte, conclut Alice, tendant à son père la cagoule de velours noir. Les policiers m'ont autorisée à conserver cet objet et je ne serais pas étonnée s'il nous donnait tôt ou tard la clef de l'énigme... »

James Roy réfléchit quelques instants, puis il demanda :

« Dis-moi, Alice, connais-tu vraiment très bien Linda Sedley ?

— Ce n'est pas tout à fait exact, expliqua la jeune fille avec embarras. Nous étions à l'école primaire ensemble, mais, à part cela, je ne l'ai jamais beaucoup fréquentée.

— Je crains fort qu'elle ne se trouve dans une situation assez délicate, reprit l'avocat. En effet, la direction du Joyeux-Carnaval est déjà en difficulté au sujet de plusieurs affaires du même genre... Je te recommande la plus entière discrétion sur ce point, Alice, car le directeur de la maison, M. Parnell, m'a demandé de défendre ses intérêts dans certains procès dont on le menace...

— Des procès ? Mais qui donc les lui intente ?

— D'anciens clients qui ont été victimes de mystérieux cambriolages commis à l'occasion d'une réception ou d'une fête organisée par l'entreprise Parnell. Comme leur assurance ne couvrait pas la totalité des risques, ils se retournent à présent contre le propriétaire du Joyeux-Carnaval. Quant à ce dernier, il rejette toute responsabilité.

— Alors, tu vas plaider pour lui ?

— C'est probable, mais avant de donner à Parnell une réponse définitive, j'aimerais procéder à ma petite enquête personnelle... Malheureusement, je suis accaparé en ce moment par une affaire compliquée et qui m'obligera peut-être même à m'absenter un jour ou deux.

— Et si j'essayais de me renseigner à ta place sur cet imbroglio du Joyeux-Carnaval ? » proposa Alice, enthousiaste.

James Roy ne put s'empêcher de rire.

« Je te reconnais bien là, dit-il. Comment ne me suis-je pas douté que tu allais me faire cette offre ?... Si tu veux, tu pourras commencer ton enquête dès demain. Occupe-toi d'abord de M. Parnell et de Linda et rapporte-moi le plus de renseignements possible sur leur compte.

— Entendu, papa. Tu peux compter sur moi », promit Alice.

Les bureaux du Joyeux-Carnaval donnaient sur une petite rue étroite, à la lisière des quartiers commerçants de River City. Alice s'y rendit de bonne heure, et, sous prétexte de rendre les travestis qu'elle avait empruntés, elle demanda à voir M. Parnell en personne.

C'était un homme fluet, au visage maladif, dont les gestes et la parole saccadée trahissaient une extrême nervosité.

« Que puis-je pour vous, mademoiselle ? s'informa-t-il. J'espère que les costumes vous ont donné entière satisfaction ?

— Mais oui, monsieur, et je n'ai qu'à me féliciter du bon goût de Mlle Sedley qui m'avait aidée à les choisir.

— Linda est une excellente employée, dit alors M. Parnell. Elle ne travaille pas chez nous depuis longtemps, mais elle a l'esprit vif, de l'imagination, et montre beaucoup de qualités dans son travail. »

Cependant, Alice regardait autour d'elle, fascinée par l'extraordinaire collection de masques qui s'étalait sur les murs de la pièce. L'un d'eux retint particulièrement l'attention de la jeune fille : c'était une sorte de cagoule rigide et en forme de cylindre dont le sommet était surmonté d'une paire de cornes effilées.

« Vous vous intéressez aux masques ? demanda M. Parnell.

— Beaucoup, répondit Alice. Vous avez ici une collection magnifique.

— Je l'ai constituée moi-même, tout au long de ma carrière, expliqua l'homme avec fierté. Tenez, regardez donc ce masque qui est accroché là-bas près de la fenêtre : il représente le dieu du Feu, et je l'ai acheté à un chef indien du Nouveau-Mexique.

— J'imagine que vous possédez aussi des modèles d'un genre plus courant, en satin ou en velours par exemple ? suggéra Alice dominant son impatience.

— Naturellement. Ils sont rangés dans une armoire spéciale au fond du magasin aux costumes. Voulez-vous les voir ?

— Avec plaisir ! »

Le directeur appuya aussitôt sur un bouton d'appel. Un employé accourut et reçut l'ordre de guider la jeune fille.

« Je regrette de ne pouvoir disposer d'assez de temps pour vous faire faire cette visite moi-même, dit M. Parnell à Alice. Je ne me lasse jamais de parler de mes masques...

— Louez-vous aussi des capes et des dominos ?

— Mais oui, et puisque cela vous intéresse, M. Clark se fera un plaisir de vous en montrer quelques-uns en même temps que nos différents modèles de masques. »

La jeune fille remercia M. Parnell, puis se dirigea vers le magasin aux costumes, sous la conduite de M. Clark. Celui-ci, enthousiasmé par l'intérêt que semblait manifester la visiteuse, entreprit aussitôt de lui fournir une documentation complète. Et il commença en ces termes :

« Autrefois, les grandes dames de France et d'Angleterre, qui utilisaient beaucoup de poudre et de rouge, portaient volontiers le masque afin de protéger leur visage du soleil, de la poussière et du vent. Les loups étaient de velours doublé de soie, et les yeux délicats de certaines élégantes s'abritaient parfois derrière des verres enchâssés dans les fentes du masque... »

Cependant Alice se hâta de couper court à ce savant exposé pour aborder le sujet qui lui tenait au cœur :

« Hier soir, chez les Harwick, j'ai dansé avec quelqu'un qui portait justement l'une de ces grandes capes noires dont me parlait M. Parnell tout à l'heure... Qui sait, peut-être l'avait-il louée chez vous ?

— Je ne le pense pas, mademoiselle, car aucun des clients que nous avons eus pour le bal masqué de *Bellevue* n'est venu me demander ce genre de vêtement. Ils désiraient tous des déguisements plus somptueux et plus flatteurs !... Voulez-vous voir notre collection de manteaux et de dominos ?

— Bien volontiers », répondit la jeune fille, maîtrisant son impatience à grand-peine.

Il était fort possible en effet que quelqu'un eût loué un travesti au voleur en l'absence et à l'insu de M. Clark.

L'employé ouvrit une vaste armoire dans laquelle étaient rangés des capes et des dominos, disposés sur des cintres. La visiteuse les parcourut rapidement des yeux. Soudain, à l'instant où M. Clark allait refermer la porte de l'armoire, le regard d'Alice se posa sur l'un des manteaux.

« Attendez, s'écria la jeune fille. Je voudrais voir quelque chose ! »

Et, avisant une longue cape noire dont

l'ampleur retombait en plis gracieux, elle se pencha afin de l'examiner de plus près. Elle vit un léger accroc juste au-dessus de l'ourlet et s'aperçut qu'il manquait un petit lambeau de tissu...

« Ce manteau a-t-il été rapporté ce matin ? demanda-t-elle.

— Je l'ignore, mademoiselle, répondit M. Clark. Mais vous pourriez vous renseigner auprès de l'employé qui vérifie les rentrées, à moins que vous ne préfériez vous adresser directement à M. Parnell... »

Alice exultait.

« Quelle chance, songeait-elle. C'est bien celui que portait mon étrange danseur d'hier soir : je le reconnais... ! Et avec cet accroc, comment pourrait-on s'y tromper ? »

« Je vais de ce pas chez M. Parnell », décida-t-elle. Surpris de la tournure que semblaient prendre les événements, M. Clark considéra son interlocutrice d'un œil effaré, mais Alice poursuivait d'un ton sans réplique : « Attendez-moi ici, s'il vous plaît. Je n'en ai pas pour longtemps... »

Chapitre 4

Rencontre avec M. Tombar

Cependant, le directeur du Joyeux-Carnaval venait de quitter son bureau lorsque la jeune fille s'y présenta. Elle parvint heureusement à le rattraper de justesse, dans la rue où il avait garé sa voiture. M. Parnell revint sur ses pas de bonne grâce.

En compagnie d'Alice, il se rendit directement au magasin des costumes. Une surprise l'y attendait : M. Clark avait disparu. Mais on le vit bientôt revenir tout essoufflé, en disant que le sous-directeur, M. Tombar, l'avait envoyé faire une course urgente.

« C'est bon », bougonna M. Parnell. Puis, se tournant vers Alice, il enchaîna : « À présent, voyons un peu ce manteau dont vous m'avez parlé, mademoiselle. Jamais on n'aurait dû le remettre en place sans le réparer... »

La jeune fille passa en revue tous les vêtements puis, n'ayant pas trouvé celui qu'elle cherchait, recommença, en examinant minutieusement chacun d'eux. Mais ce fut en vain : la grande cape noire n'était plus là !

« Est-ce que vous l'avez enlevée, monsieur ? demanda alors Alice, désignant à M. Clark un cintre vide qui se balançait sur la tringle de l'armoire.

— Ma foi non, répondit l'employé sans hésiter. Et je suis bien sûr que ce manteau était là, avec tous les autres, quand M. Tombar m'a fait demander.

— Il aura donc été enlevé par l'un de vos collègues », conclut la jeune fille.

M. Parnell fit appeler sur-le-champ les autres employés, mais aucun d'eux ne put fournir le moindre renseignement.

Alice avait écouté l'interrogatoire sans mot dire. Cependant certains soupçons commençaient à se glisser dans son esprit. N'était-il pas évident que, parmi le personnel du Joyeux-Carnaval, une personne au moins ne disait pas la vérité ? Une autre conviction s'imposait en même temps à Alice, de plus en plus persuadée qu'en dépit des apparences le coupable n'était pas M. Clark...

La jeune fille en était là de ses réflexions quand il lui vint une idée audacieuse : peut-être le bandit, qui avait emprunté la cape pour se rendre chez les Harwick, venait-il de la remettre en place à l'instant où arrivait M. Clark en compagnie d'une visiteuse ? Dans ce cas, l'homme s'était sans doute caché à proximité — ce qui lui avait permis d'entendre la conversation et de voir Alice s'intéresser à l'accroc du vêtement... Comment ne pas imaginer qu'il avait ensuite mis à profit l'absence de M. Clark pour s'emparer de nouveau du manteau et s'enfuir, faisant ainsi disparaître une redoutable pièce à conviction...

« Pourriez-vous me dire qui avait loué cette cape pour la soirée d'hier ? demanda enfin Alice, s'adressant à M. Parnell.

— Rien n'est plus facile. »

L'examen des registres sur lesquels on consignait les locations de vêtements et d'accessoires révéla que, deux jours auparavant, la maison Parnell avait servi un certain M. Volbert Henri, domicilié à Brandon, 1, Grande-Rue. Ce personnage avait loué une cape et un masque.

« Brandon est un petit village, à une quarantaine de kilomètres d'ici, expliqua M. Parnell. Mais je ne connais pas du tout ce M. Volbert. »

Sur ce, M. Parnell dépêcha M. Clark à la recherche de Linda Sedley.

Puis il reprit :

« Cette petite sera sans doute mieux renseignée que moi, puisque c'est elle qui a enregistré la location du costume et donné le reçu de la caution déposée par le client... »

Ces derniers mots causèrent à Alice une surprise indicible. Elle croyait entendre encore la voix de son amie qui, la veille au soir, lui affirmait n'avoir loué à personne de manteau noir... Linda avait-elle donc menti ?

Mais lorsque M. Clark revint quelques instants plus tard, accompagné de sa jeune collègue, celle-ci déclara tout ignorer de l'affaire au sujet de laquelle l'interrogea M. Parnell.

« Je ne suis au courant de rien, dit-elle. Personne ne s'est adressé à moi pour la location de cette cape et ce n'est pas moi qui ai signé le registre ni délivré le reçu... »

Et Linda continua, d'une voix que l'émotion étranglait :

« On a sûrement imité ma signature... En agissant ainsi, on espérait bien que je serais mise en cause, parce que le manteau devait servir à un cambrioleur ! »

À ces mots, M. Parnell bondit.

« Que me chantez-vous là ? s'écria-t-il. C'est impossible ! »

Bouleversé par l'accusation que venait de porter Linda, M. Parnell décida alors de procéder à l'interrogatoire du personnel de sa maison, au grand complet cette fois. Tout le monde se présenta devant lui, à l'exception du sous-directeur, M. Tombar, retenu dans son bureau par une affaire importante. Mais du chef de service à la plus humble des balayeuses, en passant par les secrétaires et les vendeuses, personne ne put fournir le moindre éclaircissement : le mystère des fausses signatures demeura entier, de même que celui de la disparition du manteau.

L'enquête terminée, M. Parnell se mit à marcher de long en large, l'air plus soucieux que jamais.

C'est alors qu'Alice eut l'idée de poser une nouvelle question, et elle demanda si quelqu'un savait comment et à quel moment la cape avait été rapportée dans le magasin. À sa grande surprise, sa tentative n'eut pas plus de succès que l'interrogatoire mené par M. Parnell. Personne ne savait rien...

De plus en plus perplexe, Alice résolut de se mettre immédiatement à la recherche de M. Volbert, le mystérieux client du Joyeux-Carnaval. Elle prit donc congé de M. Parnell, et se rendit droit au bureau de poste. Quelques instants plus tard, elle entrait en communication téléphonique avec le receveur du village de Brandon, pour s'entendre dire qu'aucune personne répondant au nom de Volbert n'habitait au numéro 1 de la Grande-Rue...

« J'en étais sûre, murmura la jeune fille en raccrochant l'appareil. On a donné un faux nom, de manière à dépister toute recherche éventuelle. »

De la poste, Alice se dirigea ensuite vers le commissariat de police. Là, elle eut un long entretien avec M. Morgan, le commissaire. Celui-ci écouta avec attention le récit que lui fit Alice des incidents de la matinée.

« C'est extraordinaire, s'écria-t-il lorsqu'elle en eut terminé, vous réussissez toujours à nous devancer en relevant quelque indice d'importance ! Je vais me dépêcher d'envoyer l'un de mes inspecteurs chez Parnell afin qu'il essaie de débrouiller cet imbroglio. »

Alice demanda alors au commissaire si les services de la police avaient déjà songé à établir un rapprochement entre les activités de la maison Parnell et les nombreux cambriolages commis récemment à l'occasion de réceptions ou de bals donnés chez les plus riches habitants de River City... M. Morgan parut hésiter un instant :

« Le renseignement que vous me demandez là est d'ordre strictement confidentiel, mademoiselle, et je ne me hasarderais certes pas à vous le donner si je n'étais assuré de pouvoir compter sur votre entière discrétion. Voici donc de quoi il s'agit : dès le début, nous avons soupçonné le personnel du Joyeux-Carnaval d'avoir certaines accointances avec les bandits et nous avons exercé une surveillance sévère sur tous les employés. M. Parnell lui-même a été pris en filature sur mes ordres. Cela a duré deux semaines environ. Mais il nous a bien fallu déchanter, car nous n'avons rien pu relever de défavorable contre personne... Non, je crois qu'en réalité, nous ne devons conserver aucune illusion : les voleurs ne se trouveront pas chez Parnell. Il nous faut chercher ailleurs...

— Hier soir, pourtant, objecta la jeune fille, le brigadier Ambrose me paraissait nourrir de fortes suspicions à l'encontre d'une employée, Linda Sedley...

— Je finirai par croire que vous lisez dans mes pensées, repartit le commissaire en souriant. Je ne vous cacherai pas plus longtemps que nous tenons, en effet, cette jeune personne à l'œil. Notez bien que nous n'avons encore contre elle aucune preuve formelle. Mais cela ne m'étonnerait pas outre mesure qu'elle eût retiré quelques petits bénéfices de certains vols importants commis au préjudice des clients de son patron...

— Que voulez-vous dire ? fit Alice, surprise.

— Tout simplement ceci : que Mlle Sedley me paraît fort capable d'accepter des malfaiteurs une gratification substantielle en échange d'indications précieuses sur la date et l'organisation des fêtes prévues, la disposition des lieux, la liste et le nombre d'invités, par exemple. »

Alice se taisait, abasourdie.

« Je dois dire que cette jeune fille jouissait jusqu'à présent d'une excellente réputation, reprit le commissaire. On ne lui avait jamais rien reproché et nous n'aurions certainement pas douté de son honnêteté sans certains renseignements communiqués récemment par son employeur.

— Comment, par M. Parnell ? Mais c'est

impossible ! s'exclama Alice, que la surprise suffoquait.

— Non, il s'agit de M. Tombar, son homme de confiance. Nous avons eu avec lui une conversation importante, à la suite d'un vol commis justement chez un client du Joyeux-Carnaval. Mlle Sedley avait participé à l'organisation de la réception à la faveur de laquelle les cambrioleurs s'étaient introduits dans la maison, et M. Tombar nous a mis la puce à l'oreille...

— Mais enfin, pourquoi ? Et que peut-on reprocher à cette jeune fille ?

— D'avoir, comme par hasard, dirigé les préparatifs de toutes les fêtes au cours desquelles les voleurs ont opéré... », répondit M. Morgan.

Alice quitta le commissariat, plus tourmentée et plus que jamais inquiète du sort de Linda. Résolue à en avoir le cœur net, la jeune fille reprit vaillamment le chemin du Joyeux-Carnaval.

« Cette fois, il faut que je parle à M. Tombar », songeait-elle.

Il était presque midi lorsque Alice parvint à la maison Parnell, mais M. Tombar était encore là. La visiteuse se présenta et une secrétaire l'introduisit aussitôt dans une petite pièce encombrée où le sous-directeur était occupé à examiner un masque égyptien.

M. Tombar lança à la jeune fille un regard hostile. C'était un homme corpulent, au teint basané. Il avait le visage lourd et la mâchoire carrée — ce qui donnait à sa physionomie une expression de dureté et de violence.

Tout de suite, Alice fut sur ses gardes. Baissant la voix et prenant un ton de confidence, elle commença en ces termes :

« Monsieur, je suis chargée de faire une enquête au sujet de l'une de vos employées, Mlle Sedley... »

À ces mots, une lueur de satisfaction passa dans les yeux sombres de M. Tombar.

« Tiens, tiens, fit-il. Cette péronnelle aurait-elle par hasard quelque difficulté avec la police ? Je savais bien que cela finirait par arriver...

— Puis-je savoir ce que vous reprochez à Mlle Sedley ? demanda Alice.

— On ne peut pas compter sur elle : c'est une tête sans cervelle, une vraie linotte.

— L'avez-vous déjà prise en faute ?

— Oui et non, répondit M. Tombar, visiblement embarrassé par une question aussi directe. Elle est si maligne qu'elle trouve toujours moyen de retomber sur ses pattes, comme un chat...

— De sorte que vous n'avez en définitive rien de précis à lui reprocher ? » fit Alice avec calme.

Ces paroles provoquèrent chez M. Tombar une brusque flambée de colère.

« Dites donc, vous, s'écria-t-il, de quoi vous mêlez-vous ? Et d'abord, depuis quand ne peut-on plus avoir ses raisons pour se défier de quelqu'un sans être obligé de les donner au premier chat coiffé ! »

Alice sentit le rouge lui monter aux joues, mais elle reprit tranquillement :

« Et maintenant, monsieur, entre nous, que pensez-vous de tous ces vols qui ont été commis récemment ?

— Ah ! j'ai mon idée là-dessus, répondit M. Tombar, prenant aussitôt un air important. Et je parierais que vous avez déjà deviné ce que je veux dire et à qui je pense en ce moment ! »

Alice fit un signe affirmatif. Mais bien loin d'être convaincue de la culpabilité de Linda, elle ressentait plus que jamais le désir de venir en aide à la jeune fille.

Amplement édifiée sur le compte de M. Tombar, Alice se hâta de prendre congé et quitta les bureaux du Joyeux-Carnaval. L'homme qu'elle venait de voir lui inspirait une antipathie croissante et elle se demandait quelles raisons le poussaient à dénigrer aussi méchamment la pauvre Linda.

Alice traversa la rue pour entrer dans une petite épicerie-buvette qui faisait vis-à-vis au Joyeux-Carnaval. Comme elle commandait une tasse de café et un sandwich, elle aperçut Linda Sedley assise sur un tabouret devant le comptoir. Heureuse de cette rencontre imprévue, Alice se hâta de rejoindre son amie. La conversation s'engagea, mais la pauvre Linda ne montrait guère d'entrain : son air las et découragé faisait peine à voir. Bien qu'Alice eût à peu près deviné la raison de cette attitude, elle s'ingénia à questionner la jeune fille. Et celle-ci finit par avouer, non sans quelque réticence :

« C'est M. Tombar... Il m'a fait une nouvelle scène ce matin...

— Pourquoi donc ? demanda Alice.

— À cause du cambriolage d'hier soir chez les Harwick, et puis il s'est mis à me gronder pour l'affaire du manteau...

— Ne l'a-t-on pas encore retrouvé ?

— Ma foi non, et M. Parnell est dans une colère folle. Depuis cette histoire, tout le monde est d'une humeur massacrante. Ce n'est plus tenable !

— Parle-moi donc un peu de ce M. Tombar. Quel genre d'homme est-ce ?

— Il est infernal : jamais un mot aimable avec personne. Mais comme il connaît admirablement son affaire et que tout marche au doigt et à l'œil, M. Parnell ne jure plus que par lui et lui abandonne le soin de diriger la maison. M. Tombar en profite pour nous mener la vie dure : il ne tolère pas le moindre retard, ne serait-ce que d'une minute...

— Ce qui veut dire qu'il est sans doute lui-même d'une exactitude parfaite ? demanda Alice.

— Pour ça, oui, mais je t'assure qu'il se rattrape au moment du déjeuner : il prend deux heures presque tous les jours ! C'est à chaque fois la même chose : il attend que le personnel soit rentré, et puis il s'en va à son tour, toujours seul...

— Où va-t-il, le sais-tu ?

— Je n'en ai pas la moindre idée. En tout cas, il ne reste sûrement pas en ville, car jamais il ne manque de prendre sa voiture... »

Deux heures pour déjeuner, voilà qui semblait bien extraordinaire de la part d'un homme aussi discipliné que l'était M. Tombar ! La coutume des pays anglo-saxons veut en effet que l'on ne consacre que fort peu de temps au repas de midi. On le prend habituellement sur place, ou bien aux environs immédiats du lieu de travail, en une demi-heure ou une heure au plus.

« Il faut que je me dépêche de rentrer », dit soudain Linda, jetant un coup d'œil anxieux à la pendule accrochée au mur. Elle se leva, ramassa son sac à la hâte. « Au revoir, Alice, dit-elle. À bientôt ! »

Restée seule, la jeune fille acheva machinalement son sandwich, puis paya la note et sortit sans se presser.

M. Tombar quittait justement les bureaux du Joyeux-Carnaval un paquet à la main. Alice le vit se diriger d'un pas vif vers un cabriolet vert, garé non loin de là. Une idée folle traversa aussitôt l'esprit d'Alice : qui sait si M. Tombar n'était pas en train d'emporter ce fameux manteau noir, dont la disparition demeurait si mystérieuse...

La jeune fille eut le temps de remarquer que

les roues du cabriolet étaient couvertes de terre, preuve évidente que M. Tombar avait roulé récemment en pleine campagne, et par de fort mauvais chemins.

Ah ! Combien Alice n'eût-elle pas donné pour pouvoir suivre M. Tombar ! Mais elle avait malheureusement laissé sa voiture au garage ce matin-là.

Soudain, un taxi en maraude surgit au coin de la rue, à quelques mètres de la jeune fille. Celle-ci héla le chauffeur et sauta dans le véhicule en un clin d'œil. Au même instant, M. Tombar démarra de son côté à toute vitesse.

« Vite, suivez ce cabriolet vert qui file devant nous ! jeta Alice au chauffeur.

— Compris, dit le chauffeur. Allons-y ! »

Il ne fallut pas longtemps à Alice pour s'apercevoir que sa manœuvre n'avait nullement échappé à M. Tombar. Au premier croisement, il tourna brusquement à droite et, quand le taxi eut pris le virage à son tour, le cabriolet vert était déjà sur le point de disparaître au bout de la rue.

Le chauffeur laissa échapper un sifflement d'admiration.

« Bigre, voilà un monsieur qui s'y entend ! déclara-t-il. Mais vous êtes vraiment décidée à ne pas le lâcher, n'est-ce pas, mademoiselle ?

— Je pense bien !

— Alors ça va. Cramponnez-vous et ouvrez l'œil : si vous apercevez les agents de la police routière, prévenez-moi ! Je fonce ! »

Chapitre 5

Le trouble-fête

M. Tombar brûla un feu rouge, puis vira dans une rue transversale à toute vitesse. Le cabriolet se pencha sur le côté et Alice crut le voir pivoter sur deux roues...

« Ce bonhomme-là est complètement fou, marmonna le chauffeur de taxi, appuyant à fond sur son accélérateur.

— Ralentissez un peu tout de même, conseilla Alice, prudente. S'il nous sème, tant pis. Cela vaudra encore mieux que d'avoir un accident... »

À peine la jeune fille avait-elle achevé ces mots, qu'on entendit un grand bruit de freins à l'intersection de la rue des Cerisiers et de l'avenue Blanche, où M. Tombar venait de brûler un nouveau feu rouge.

Cependant il n'hésita pas une seconde à poursuivre sa route et Alice le vit tourner brusquement dans une rue sur la gauche.

Le taxi dut attendre que le signal passe au vert et les poursuivants perdirent ainsi quelques instants précieux. Lorsque la voiture atteignit enfin la ruelle où M. Tombar s'était engagé, le cabriolet vert avait disparu...

« Ma foi, tant pis, dit Alice, après que le chauffeur eut vainement contourné deux pâtés de maisons et exploré les voies adjacentes. De toute façon, notre homme nous avait repérés et nous n'aurions pu le suivre jusqu'au bout. »

Alice régla la course et gratifia le conducteur d'un généreux pourboire afin de le récompenser de sa complaisance. Puis, tandis que le taxi s'éloignait, elle se mit à réfléchir à la scène étrange qui venait de se dérouler. L'attitude de M. Tombar suffisait à prouver que le personnage tenait à cacher le but de sa promenade. Ainsi, aucun doute n'était-il plus permis : le sous-directeur du Joyeux-Carnaval était un homme à surveiller...

Le lendemain, Alice vint attendre Linda à la sortie des établissements Parnell et lui offrit de la raccompagner chez elle en voiture. Pendant le trajet, Alice demanda à son amie si elle savait ce que contenait le paquet emporté la veille par M. Tombar. Linda n'en avait pas la moindre idée, mais elle expliqua que le sous-directeur avait l'habitude de transporter des colis ou des paquets.

Alice posa alors quelques questions sur les commandes passées à la maison Parnell et qui devaient être exécutées prochainement.

« Nous avons deux lunches pour demain, et un petit dîner pour lundi, déclara Linda. Rien de très important... Ah si ! le mariage de Mlle Becker, mardi prochain.

— Les Becker sont des gens en vue... peut-être les plus riches de River City... », murmura Alice, comme se parlant à elle-même. Puis, après un instant de silence, elle reprit brusquement : « Tu sais, Linda, il y aura certainement une exposition de cadeaux magnifiques. Cela représentera une véritable fortune... de quoi tenter n'importe quel cambrioleur ! »

À ces mots, Linda ne put réprimer un frisson.

« Ne parle pas de cela, je t'en prie, s'écria-t-elle. Rien que d'y penser, j'en ai la chair de poule. Il suffirait à présent d'une seule affaire de ce genre pour que la maison Parnell fût mise en faillite !

— Alors, pourquoi ne pas prendre les précautions nécessaires ? répliqua Alice avec calme.

— Mais c'est déjà fait ! Il y aura partout des inspecteurs de police en civil, et les invités seront bien surveillés, je t'assure. M. Parnell a même insisté pour que l'homme de confiance des Becker soit chargé de monter la garde dans la pièce où serait exposée l'argenterie. Et M. Tombar a eu beau dire que ce n'était pas la peine, le patron n'a pas voulu démordre de son idée. »

Linda poussa un soupir.

« Mon Dieu, comme je voudrais que tu puisses aller chez les Becker mardi ! Si les bandits s'y trouvaient aussi, peut-être serais-tu capable de les reconnaître, puisque tu les as déjà vus chez Gloria Harwick l'autre jour !

— C'est une idée ! » s'exclama Alice. Et elle ajouta vivement : « Dis-moi, Linda, pourrais-tu me faire envoyer une invitation ? »

Linda hésita, mais répondit presque aussitôt d'un air résolu :

« Je m'arrangerai : je dirai à M. Becker que tu es au service de la maison Parnell...

— Ce qui sera la vérité », ajouta Alice en riant.

Linda reprit d'une voix inquiète :

« Pourvu que M. Tombar ne se doute de rien ! Il me mettrait tout de suite à la porte si jamais il apprenait ce que je vais faire... Tu prendras bien garde à ne pas me trahir, n'est-ce pas, Alice ?

— Sois tranquille : ce n'est pas moi qui vendrai la mèche !... Mais essaie de t'arranger pour que je puisse arriver chez les Becker de bonne heure : je tiens absolument à visiter la maison et prendre mes dispositions avant qu'il n'y ait trop de monde. »

Linda tint parole : le lendemain, Alice reçut une invitation signée de Mme Becker.

Quand vint le mardi soir, Alice revêtit la robe de soirée couleur d'algue marine qui seyait si bien à son teint clair et à ses cheveux blonds. Puis elle prit sa voiture pour gagner la luxueuse résidence des Becker, située à l'autre extrémité de River City. Lorsqu'elle se présenta à l'entrée, un valet l'accueillit.

« Puis-je voir votre invitation, mademoiselle ? » demanda-t-il courtoisement.

Alice tendit la carte qu'elle venait de sortir de son sac. L'homme l'examina avec attention.

« C'est parfait, conclut-il. Mlle Sedley nous avait en effet annoncé que vous arriveriez de bonne heure... Si vous voulez bien me suivre... »

L'intérieur de la maison était orné de plantes, de fleurs et d'arbustes disposés jusque dans les moindres recoins de l'immense demeure. Alice ne put s'empêcher de penser qu'ils offraient, le cas échéant, la meilleure des protections aux hôtes indésirables !

Se promenant à sa guise, la jeune fille parcourut les pièces du rez-de-chaussée. Au passage, elle remarqua des hommes postés aux fenêtres et aux portes qui donnaient sur le jardin.

« Les policiers, certainement », se dit-elle.

Tout à coup, Alice se trouva nez à nez avec le brigadier Ambrose. Celui-ci la considéra d'un œil ironique.

« À qui ai-je l'honneur de parler ce soir ? demanda-t-il. À une invitée ou à Mlle Alice Roy, détective ?

— Peut-être aux deux ! répondit-elle en riant.

— Alors, si vous espérez passer une bonne soirée, vous n'allez sans doute pas tarder à regretter d'être venue, fit Ambrose. J'ai l'impression que la fête sera mouvementée...

— Voudriez-vous dire que les bandits vont être de la partie ? »

Le brigadier hocha la tête.

« Écoutez, reprit-il, je vais vous confier un secret : nous avons obtenu ces jours-ci une indication précieuse... Nous la tenons d'un traiteur qui avait justement servi à dîner dans l'une des maisons cambriolées... Il nous a conseillé de nous défier d'un certain individu qui cherche à se faire passer pour un vieux lord anglais. Signe caractéristique : il prend de grands airs et parle avec l'accent d'Oxford...

— Merci du renseignement, brigadier, dit Alice avec empressement. Je vais me tenir sur mes gardes, moi aussi. »

Revenant dans le vestibule quelques instants plus tard, Alice y rencontra Linda Sedley. Celle-ci lui apprit que les cadeaux de mariage étaient exposés dans l'une des pièces au premier étage.

« Je vais monter les voir », déclara Alice, se dirigeant vers l'escalier.

Sur le palier, une porte grande ouverte invitait à pénétrer dans la longue galerie où se trouvaient les cadeaux. La jeune fille s'avança, mais s'arrêta sur le seuil, stupéfaite du spectacle qui s'offrait à ses yeux. Les murs garnis de glaces reflétaient à l'infini les lustres qui illuminaient la salle. Sur des tables nappées de dentelles, porcelaines, bijoux, surtouts de vermeil et d'argent scintillaient de mille feux. Jamais encore Alice n'avait vu tant de merveilles rassemblées.

Selon toute apparence, l'unique gardien de ces trésors était un vieux serviteur, si frêle qu'il lui eût certainement été impossible d'opposer la moindre résistance à un assaillant. Il n'avait à sa disposition d'autre moyen de défense qu'un appareil téléphonique branché sur une ligne intérieure.

Alice s'approcha du vieillard.

« Êtes-vous réellement seul ici ? demanda-t-elle.

— Oui, mademoiselle, répondit-il. Mes maîtres m'ont bien recommandé de ne pas quitter cette pièce avant que la soirée ne soit terminée et le dernier invité parti. »

Alice ne douta pas un seul instant que le vieillard ne fût digne de la confiance qu'on lui manifestait. Néanmoins, elle jugea qu'il eût été beaucoup plus sage d'affecter un groupe de policiers à la surveillance de la galerie. Aussi décida-t-elle de consulter sur-le-champ le brigadier Ambrose. Malheureusement, il lui fallut vite renoncer à joindre ce dernier : les invités commençaient à affluer, les salons à s'emplir.

Comme la jeune fille passait près de la porte d'entrée où s'effectuait le contrôle des cartes d'invitation, un bruit de voix impatientes attira son attention. En tournant la tête, elle aperçut alors le valet de service et le brigadier Ambrose qui semblaient engagés dans une vive discussion avec un personnage de belle prestance et d'allure fort distinguée. Alice s'approcha, le cœur battant : l'inconnu s'exprimait avec l'emphase et les intonations particulières à l'accent d'Oxford !

« Mais voyons, puisque je vous dis que j'ai oublié cette invitation à mon hôtel ! » disait-il.

Furieux, il se mit à tapoter nerveusement les dalles du bout de sa longue canne à pommeau d'or. Puis il reprit, maîtrisant son impatience :

« Que le diable m'emporte si je comprends quelque chose à votre histoire de cartes, brigadier ! J'ai déjà expliqué au valet que j'avais été retenu à mon hôtel par ce vieux bavard de Lord Plumket. Et en le quittant, je n'ai plus pensé à cette maudite invitation... Sur ce, la plaisanterie a, je crois, suffisamment duré : laissez-moi passer !

— Hé là, pas si vite, fit Ambrose, barrant l'entrée. Il ne faut pas vous imaginer que je vais me laisser impressionner par vos simagrées !

— Comment ! Mes simagrées ! protesta l'inconnu, au comble de l'indignation. Voici des paroles qui vont vous coûter cher, et vous pouvez être sûr que Mme Becker sera informée de cette injure !

— Alors, le plus tôt sera le mieux ! » riposta

le policier. Et, prenant l'homme par le bras, il ordonna d'un ton sans réplique : « En route ! Nous allons de ce pas voir les maîtres de maison. Si quelqu'un vous reconnaît, tant mieux pour vous : vous n'aurez qu'à profiter de la fête. Mais sinon, je vous arrête !

— Moi ? C'est insensé ! s'écria l'inconnu, haletant. Il ne peut s'agir que d'une épouvantable méprise ! »

Cependant il eut beau protester : le brigadier l'entraîna dans la maison et envoya un valet de chambre à la recherche de M. Becker. Quelques instants plus tard, le maître de maison accourut, fort inquiet.

« Que se passe-t-il ? demanda-t-il.

— Voici un individu qui cherche à s'introduire chez vous sans invitation, répondit Ambrose. Il prétend être comte...

— Je suis le comte de Starway et j'habite le Sussex, en Angleterre », affirma l'inconnu d'un ton digne.

Et, se tournant vers M. Becker, il salua. L'hôte le dévisagea, puis dit sèchement :

« Brigadier, je n'ai jamais vu cet homme. Emmenez-le.

— C'est un peu fort, bredouilla le comte, tandis que déjà M. Becker s'éloignait. J'exige... j'exige que mon hôtesse, Mme Becker, soit avertie immédiatement de ma présence dans cette maison... »

Cependant Alice, qui avait suivi toute la

scène, demeurait perplexe. Elle se rappelait vaguement avoir lu quelques jours auparavant, dans le journal, un entrefilet annonçant l'arrivée à New York d'un certain comte de Starway.

« N'y aurait-il pas une erreur ? se disait-elle. L'homme qui essayait d'entrer ici tout à l'heure n'était peut-être pas un cambrioleur, mais simplement le comte de Starway en personne ! Qui sait si Mme Becker ne l'avait pas invité à la réception de ce soir sans penser à en aviser son mari ? »

Alice se dirigea vers le petit salon où les nouveaux mariés et leurs parents recevaient les félicitations des invités. Et, s'approchant de Mme Becker, elle lui dit à l'oreille :

« Connaissez-vous le comte de Starway ?

— Si je le connais ? Mais je pense bien ! s'exclama l'hôtesse. C'est un vieil ami... Pourquoi me demandez-vous cela ? Le cher homme aurait-il eu le courage de prendre l'avion, à son âge, pour venir, de New York, assister à notre réception ?... »

M. Becker fut abasourdi lorsque sa femme vint lui apprendre quelques instants plus tard qu'ayant lu dans un journal l'annonce de l'arrivée à New York du comte de Starway, elle s'était empressée de lui envoyer une invitation de dernière heure.

Les hôtes se précipitèrent ensemble dans le jardin, sur les traces d'Alice qui s'était déjà lancée à la poursuite d'Ambrose et de son prisonnier. Ceux-ci étaient installés dans la voiture de police quand M. Becker sauta sur le marchepied et, passant la tête à la portière, commença à se répandre en excuses et en regrets.

Alice profita du répit que lui laissaient les explications du brigadier Ambrose pour s'éclipser et regagner la maison en toute hâte. Elle venait en effet de songer que, si les cambrioleurs guettaient l'occasion de se faufiler parmi les invités, ils avaient à présent la partie belle : depuis quelques instants déjà Ambrose et le valet de service, accaparés par l'affaire du comte de Starway, ne se trouvaient plus à leur poste !

Lorsque Alice arriva sur le palier du premier étage, elle constata avec étonnement que la porte ouvrant sur la galerie d'exposition était fermée.

« Tiens, voilà qui est étrange », se dit-elle.

Elle s'approcha, tourna doucement le bouton mais s'aperçut, de plus en plus surprise, que l'on avait fermé la porte à clef.

« L'un des policiers aura sans doute jugé bon de prendre ses précautions pendant que se déroulait la discussion avec le comte de Starway », songea Alice, s'efforçant de raisonner avec calme. Mais, alors, où se trouvait le vieux serviteur que l'on avait chargé de veiller sur les cadeaux ?...

Soudain, la jeune fille s'avisa que la porte d'une chambre contiguë à la galerie était entrebâillée. Elle s'avança avec précaution, jeta un coup d'œil par l'ouverture. Puis, ne voyant personne dans la pièce, elle entra sans bruit.

La chambre communiquait avec la salle voisine par une large baie que masquaient des tentures de velours. Alice s'en approcha à pas de loup et écarta légèrement le rideau. Mais elle faillit pousser un cri devant le spectacle qui s'offrait à ses yeux.

Le vieux serviteur de M. Becker gisait sur le parquet, sans connaissance, tandis que, debout devant l'une des tables chargées de cadeaux, se tenait un homme en habit de soirée, étrangement coiffé d'une cagoule de velours noir !

Chapitre 6

Menaces

Sans songer un instant au danger auquel elle s'exposait, Alice se précipita dans la galerie. L'homme fit volte-face et, de saisissement, laissa échapper le sac de toile noire dans lequel il était en train d'entasser des pièces d'argenterie.

« Ah ! ah ! voici notre fameux détective ! » lança-t-il avec rage.

Alice reconnut instantanément sa voix sifflante : c'était celle du mystérieux danseur qui, à *Bellevue*, avait confondu la jeune fille avec l'Orientale, sa complice !

Le bandit s'élança vers Alice qui l'esquiva d'un bond. Puis, se jetant sur l'appareil téléphonique, elle décrocha le récepteur et hurla de toutes ses forces :

« Au secours ! »

Aussitôt, elle vit l'homme courir à l'autre

extrémité de la galerie et, sautant par-dessus une table qui lui barrait le passage, se ruer contre le mur. Une porte dérobée s'ouvrit et le malfaiteur disparut !

« À l'aide ! au voleur ! » cria encore la jeune fille ; et elle se précipita à la poursuite du fugitif.

Celui-ci, qui connaissait évidemment les moindres recoins de l'immense demeure, s'était enfui par un long passage aboutissant à un escalier. Alice s'y engouffra en trombe. Mais au bas des marches, elle buta contre une porte fermée. Elle se mit à cogner sur le battant à coups redoublés, en appelant toujours à l'aide. Soudain, la porte s'ouvrit et Alice se trouva nez à nez avec une servante épouvantée. Écartant la domestique qui lui barrait le passage, la jeune fille fonça droit devant elle et s'arrêta, stupéfaite : elle venait de déboucher dans les cuisines !

En un instant, la panique fut à son comble, tandis qu'au milieu des cris et du tumulte, tout le monde se mettait à la recherche du bandit. Mais il demeura introuvable : personne ne l'avait même vu franchir la porte de l'escalier...

Cependant, les policiers accouraient, alertés par les appels d'Alice. Ils entreprirent aussitôt de fouiller la maison de la cave au grenier, tandis que le brigadier Ambrose rassemblait autour de la jeune fille tous les invités portant l'habit de soirée. Ce fut en vain : Alice ne put reconnaître la voix de l'homme à la cagoule.

Tout à coup il lui vint une idée : « Mon Dieu, comment n'ai-je pas encore songé à questionner le vieux serviteur de M. Becker ? »

Alice regagna la galerie en toute hâte. Le premier appel au secours qu'elle avait lancé dans l'appareil téléphonique avait heureusement eu pour résultat immédiat de faire accourir une servante. Ranimé par les soins que celle-ci lui avait prodigués, le vieillard était à présent assis dans un fauteuil, encore tout étourdi de son aventure.

« Je ne sais pas ce qui s'est passé, dit-il à Alice. Je ne me suis aperçu de rien : je n'ai même pas vu la personne qui m'a attaqué. On est venu par-derrière, sans faire plus de bruit qu'un chat... »

Sur ces entrefaites, parut le brigadier Ambrose, qui confirma à la jeune fille ce qu'elle soupçonnait déjà : toutes les recherches entreprises dans la maison et dans le jardin pour découvrir le cambrioleur avaient été vaines. L'homme restait introuvable.

Alice redescendit au rez-de-chaussée. La fête s'y poursuivait, mais le cambriolage manqué avait jeté un froid parmi les invités, et la gaieté, qui, une demi-heure auparavant, régnait dans les salons, s'était irrémédiablement envolée. Aussi la jeune fille décida-t-elle de ne pas s'attarder davantage.

En arrivant chez elle, Alice eut la surprise de

trouver ses amies Bess et Marion qui l'attendaient, impatientes d'avoir des détails sur la soirée.

« Et qui vous dit que je vais avoir des choses tellement intéressantes à vous raconter ? fit Alice en riant.

— Cela se lit sur ta figure, déclara Marion. Vite, ne nous fais pas languir : as-tu revu l'homme à la cagoule ?

— Parfaitement, répondit Alice, comme s'il s'était agi de la chose la plus naturelle du monde ; et elle entama le récit de ses aventures.

— Mais n'as-tu pas peur que ce bandit n'essaie à présent de se venger sur toi ? questionna Bess avec inquiétude. C'est à toi qu'il doit son échec de ce soir, et il n'est certainement pas près de l'oublier...

— Bah ! cela ne me préoccupe guère, répondit Alice.

— Cette nuit, Sarah et toi serez toutes seules dans la maison, n'est-ce pas ? insista Bess.

— Oui. Papa ne rentre de voyage que demain. Mais je n'ai pas la moindre crainte.

— C'est bien le tort que tu as... Qui sait si, à l'heure qu'il est, ce bandit...

— Oh ! je t'en prie, Bess, tais-toi ! protesta Marion. Tu vas finir par impressionner Alice avec tes bêtises. Il n'y a rien à craindre, voyons ! Que veux-tu qu'il arrive... ? »

À cet instant, la sonnerie du téléphone retentit. Les jeunes filles ne purent s'empêcher de tressaillir, tant ce bruit résonnait étrangement dans la maison silencieuse.

« Ce doit être papa qui m'appelle, déclara Alice. Il m'avait promis de le faire. »

Elle courut dans le vestibule où se trouvait l'appareil téléphonique et décrocha.

« Allô ? » dit-elle.

Contrairement à son attente, il n'y eut pas de réponse. Tout à coup, s'éleva une voix masculine inconnue qui, d'un ton sarcastique, détacha les mots suivants :

« Alice Roy, écoutez bien ceci : vous êtes priée de vous occuper de vos affaires, au lieu de vous mêler de celles des autres. Sinon, vous en paierez les conséquences. Et puis, voici un second avertissement : débarrassez-vous donc de cette cagoule qui est en votre possession. Vous avez vingt-quatre heures pour la jeter par-dessus le mur du vieux cimetière de Milbank. »

Sur ces mots, Alice entendit que l'on raccrochait à l'autre bout de la ligne. La jeune fille appela aussitôt l'opératrice du central téléphonique pour essayer de savoir d'où venait l'appel qu'elle venait de recevoir, mais on lui répondit que la communication avait été obtenue par l'automatique d'une cabine publique.

Devinant qu'il se passait quelque chose d'anormal, Bess et Marion étaient accourues auprès de leur amie.

« De quoi s'agit-il donc, Alice ? demandèrent-elles anxieusement. Tu as reçu des menaces ? »

Alice fit un signe affirmatif.

« On m'a donné l'ordre de me débarrasser du masque que j'ai ramassé dans le jardin de Gloria Harwick, expliqua-t-elle.

— Qu'est-ce que je te disais ! s'écria Bess d'un air terrifié. Tu vois bien que j'avais raison de n'être pas tranquille ! Mon Dieu, Alice, pourquoi as-tu rapporté ce masque ! »

Cependant, Marion gardait son sang-froid et elle s'empressa d'offrir ses services à son amie :

« Oh ! je t'en prie, laisse-moi t'aider : si tu veux, nous irons jeter cette cagoule très loin d'ici...

— Certainement pas, déclara Alice, sans la moindre hésitation. Je suis bien décidée à conserver le masque. Je ne le remettrai qu'à la police, si elle me le réclame.

— Bravo, approuva Marion. Et surtout ne te laisse pas intimider !

— Mais tu es folle de donner à Alice un conseil aussi imprudent ! » protesta la pauvre Bess qui, toujours, appréhendait le pire. Et elle ajouta, la voix tremblante : « En tout cas, Marion, je crois que nous devrions passer la nuit ici avec Alice...

— Excellente idée, fit Marion avec empressement.

— Rassurez-vous, il n'y a aucun danger », dit Alice. Puis elle se mit à rire et ajouta : « Les portes de la maison ferment à clef, que diable ! Moi, je ne demande pas mieux que de vous garder ici, mais à condition que ce ne soit pas pour veiller sur moi : je veux que tout le monde dorme sur ses deux oreilles ! »

Bess poussa un soupir résigné.

« Le Ciel t'entende, fit-elle. Ma foi, puisque tu n'as pas peur, autant vaut que nous rentrions chez nous, n'est-ce pas, Marion ? Il est une heure impossible... »

Après le départ de ses amies, Alice s'attarda un bon moment dans le salon, réfléchissant aux détails de cette mystérieuse affaire. Soudain, elle se dirigea vers le secrétaire qui occupait un angle de la pièce et, fouillant dans un tiroir, en sortit la cagoule de velours noir.

Lorsqu'un peu plus tard, la vieille Sarah descendit au rez-de-chaussée, inquiète de ne pas avoir entendu la jeune fille gagner sa chambre, elle la trouva debout au milieu du salon, perdue dans la contemplation du masque.

« Tu devrais aller te coucher », commença-t-elle. Mais, avisant tout à coup l'objet qu'Alice tenait à la main, elle poursuivit, avec un frisson : « Allons bon, te voilà encore à regarder cette horreur ! Tu ferais mieux de la jeter au feu !

— Tu ne sais donc pas que c'est la plus précieuse des pièces à conviction ? D'ailleurs, la police est en droit de venir me la réclamer d'un moment à l'autre. Et puis, il n'y aurait rien d'étonnant à ce que cette cagoule me mette finalement sur la piste des voleurs ! »

Sur ce, Alice révéla à Sarah l'ordre qu'elle avait reçu de se débarrasser du masque.

« Tu n'as qu'à obéir, conseilla la vieille gouvernante. Je t'ai entendue raconter à tes amies ce qui s'est passé chez les Becker... Cette affaire prend vraiment une tournure trop dangereuse...

— Écoute-moi, Sarah : je ne veux pas que tu te mettes ainsi martel en tête. Tu sais parfaitement que je n'ai pas l'habitude d'agir à la légère, et que je me tire toujours d'affaire, quoi qu'il arrive !

— Tu es trop sûre de toi, Alice, et tu verras que tu finiras, un de ces jours, par te trouver dans un tel guêpier que tu ne pourras en sortir... Entre toi et ton père, je passe ma vie dans les transes !

— Alors, si je ressemble tant que ça à papa, tu n'as vraiment pas besoin de te tracasser, repartit Alice en riant. Jusqu'à présent, aucune des affaires dont il s'est occupé n'a jamais mal tourné ! »

Sarah se contenta de hocher la tête en silence, sachant par expérience que rien ni personne ne saurait dissuader la jeune fille de poursuivre la tâche qu'elle avait entreprise. Puis, voyant qu'Alice continuait à examiner le masque, elle reprit avec impatience :

« Enfin, à quoi penses-tu donc ? Vas-tu m'expliquer quel intérêt tu trouves à ce chiffon-là ?

— Je suis en train de me dire que les bandits

doivent avoir une excellente raison pour tant désirer rentrer en possession de cet objet... Peut-être contient-il une indication qu'ils ne tiennent pas à me voir découvrir... »

Alice tourna et retourna le masque entre ses doigts. Puis elle poursuivit, lentement, comme se parlant à elle-même :

« Velours noir sur l'endroit... soie blanche à l'envers... La doublure est épaisse... On la dirait ouatinée... »

S'interrompant, elle tendit la cagoule à Sarah.

« Tiens, fit-elle, regarde !

— C'est ma foi vrai, reconnut la femme.

— Vite, tirons les rideaux ! s'écria Alice brusquement. J'ai une idée ! »

Chapitre 7

Nouveau mystère

Sous les yeux de Sarah, la jeune fille arracha vivement la doublure du masque. Mais elle eut la déception de constater qu'il ne s'y trouvait rien de caché.

« Si tu veux, je recoudrai la doublure, proposa Sarah. Mais pas ce soir, j'ai vraiment trop sommeil. »

Comme Alice commençait à plier soigneusement la doublure, elle remarqua des chiffres tracés à l'encre sur l'envers de la soie.

« Tiens, un numéro », fit-elle surprise.

S'approchant du lampadaire, la jeune fille examina sa découverte. C'était une série de chiffres, disposés en quatre groupes de la manière suivante :

266 286 17 57

« Qu'est-ce que cela signifie ? demanda Sarah.

— Je voudrais bien le savoir...

— On dirait que l'encre est encore fraîche, reprit la gouvernante. Autrement, les chiffres ne seraient pas aussi nets...

— S'agirait-il par hasard d'un code ? murmura Alice. Je me demande si... »

À peine avait-elle achevé ces mots que le téléphone sonna. Alice courut répondre. Cette fois, c'était bien son père.

« Je suis si contente de t'entendre, papa, s'écria-t-elle. Quelles nouvelles ?

— Ici, tout va bien. Et toi, où en es-tu ? »

Alice s'empressa de mettre James Roy au courant des événements de la soirée, sans toutefois mentionner le mystérieux avertissement qu'elle avait reçu.

La jeune fille raconta ensuite sa dernière découverte au sujet du masque, en ajoutant qu'elle n'avait pu trouver aucune explication au mystère des chiffres inscrits sur la doublure.

« Veux-tu me les lire ? » demanda alors James Roy.

Alice s'exécuta aussitôt.

« Très intéressant, déclara-t-il, la lecture terminée. J'ai l'impression que ces numéros représentent des dates...

— Ce qui signifierait qu'au lieu de deux cent

soixante-six, il faudrait lire pour le premier : vingt-six six... c'est-à-dire vingt-six juin ?

— Parfaitement, et tu n'as qu'à poursuivre ainsi jusqu'au bout : vingt-huit six, vingt-huit juin... un sept, premier juillet... cinq sept, cinq juillet...

— Oh ! papa, tu es merveilleux ! Ce sont bien des dates... et probablement celles des prochains cambriolages manigancés par les bandits ! Je comprends à présent : la femme que j'ai vue chez les Harwick en Orientale avait dû inscrire ces chiffres à l'intérieur de son masque pour ne pas les oublier, à moins que ses complices ne le lui aient remis tel quel, manière originale de lui passer les consignes...

— Écoute, Alice, voici ce que je te conseille de faire : téléphone donc demain matin chez Parnell et essaie de savoir s'ils ont des engagements prévus avec leur clientèle aux dates que nous venons de découvrir. Mais surtout, sois prudente ! Il ne s'agit pas de montrer le bout de l'oreille...

— Tu peux compter sur moi, promit Alice. Et à présent, papa, dis-moi : quand rentres-tu ? »

James Roy répondit à sa fille qu'il quitterait Belford le lendemain en fin d'après-midi pour arriver à River City dans la soirée, sauf imprévu.

Comme la jeune fille raccrochait le récepteur quelques instants plus tard, elle entendit une sorte de craquement du côté de la porte d'entrée. Croyant que l'on s'apprêtait à sonner, elle alla ouvrir. Il n'y avait personne.

« J'ai dû rêver », se dit-elle. Et sur ce, elle monta se coucher.

Le lendemain matin, Alice téléphona dès neuf heures au Joyeux-Carnaval. Elle demanda Linda Sedley à l'appareil. Puis sans donner la moindre explication sur la manière dont les dates étaient venues à sa connaissance, elle questionna son amie sur les engagements pris à ces mêmes jours par la maison Parnell.

« Nous avons deux réceptions prévues pour les 26 et 28 juin, répondit aussitôt Linda. Mais en ce qui concerne le mois de juillet, je ne suis pas aussi sûre. Attends, ne quitte pas : je vais vérifier. »

La jeune fille revint au bout d'un moment en confirmant que la date du 1er juillet était en effet retenue, mais annonçant qu'en revanche les livres ne portaient mention d'aucune commande pour le samedi 5...

« Écoute, Alice, se hâta-t-elle de poursuivre, si tu t'occupes toujours de cette affaire de cambriolage, sois prudente... Je commence à avoir très peur... Après ce qui s'est passé hier soir chez les Becker et aussi depuis...

— Depuis ? Que veux-tu dire ? »

Linda hésita.

« J'ai l'impression qu'il y a quelqu'un sur la ligne, dit-elle enfin, baissant la voix. Raccroche, Alice, je te rappellerai. »

La jeune fille obéit. Cinq minutes plus tard, le téléphone sonnait.

« Excuse-moi, commença Linda. Je suis peut-être ridicule, mais je jurerais que l'on était en train de nous écouter...

— Tu as eu raison. Mais où es-tu en ce moment ?

— Dans un petit bureau, derrière le magasin. Comme ce poste-ci n'est pas branché sur le standard, nous sommes tranquilles.

— Alors, Linda, que voulais-tu me dire ?

— Que le Joyeux-Carnaval a été cambriolé la nuit dernière ! Les voleurs ont emporté une grande quantité de masques et de travestis !

— Pas possible ! s'exclama Alice.

— M. Parnell n'a pas encore averti la police, poursuivit Linda. Il a eu une longue conversation avec M. Tombar ce matin. J'ignore ce qu'ils ont pu se dire, mais je suis bien sûre qu'ils se sont querellés : j'entendais les éclats de voix de mon bureau. Bref, toujours est-il que, pour l'instant, l'affaire reste sous le boisseau...

— Dis-moi ce que l'on a emporté, Linda.

— M. Tombar a gardé la liste, mais je me rappelle un certain nombre de choses. Je sais par exemple que l'on a volé les masques indiens accrochés dans le bureau personnel de M. Parnell.

— Et puis quoi encore ?

— Deux autres masques de grande valeur

que nous gardions comme pièces de collection... »

Alice demanda alors à son amie de lui décrire les deux objets avec tous les détails possibles.

« Ce sont des masques grecs, expliqua Linda. Des masques de théâtre. Chacun est à deux visages : l'un symbolisant la joie, l'autre la tristesse.

— Quels costumes les voleurs ont-ils emportés ? questionna ensuite Alice.

— Je ne pourrais le dire exactement : nous n'avons pas encore fini de vérifier le contenu des armoires, répondit Linda. Je ne sais qu'une chose, c'est que plusieurs dominos noirs ont disparu, ainsi qu'un certain nombre de costumes de femmes. »

Alice s'apprêtait à poser d'autres questions à son amie lorsque celle-ci l'avertit brusquement qu'elle devait mettre fin à la conversation.

« Voici M. Tombar qui arrive, j'entends sa voix ! s'écria la jeune fille avec effroi. Il ne faut pas qu'il me découvre ici. Au revoir, Alice, je te rappellerai plus tard !

— Un instant : dis-moi seulement si, parmi les fêtes prévues aux dates dont nous parlions tout à l'heure, il s'en trouve une qui soit un bal costumé ?

— Non, ce ne sont que des réceptions ordinaires, répondit Linda dans un souffle. Cette fois, Alice, il faut vraiment que je me sauve ! »

Quand Alice eut raccroché, elle resta un long

moment assise devant l'appareil, perdue dans ses réflexions. Pour quelle raison et dans quel dessein avait-on dérobé ces masques et ces costumes ? Était-ce afin de les revendre, ou bien les malfaiteurs avaient-ils l'intention de les utiliser pour quelque mauvais coup ?

« Je parierais que M. Tombar va saisir prétexte de cette affaire pour congédier Linda », songeait la jeune fille.

Soudain, elle fut tirée de sa méditation par les aboiements de son chien, Togo. Dressé sur ses pattes de derrière, le petit fox menait beau tapage et grattait furieusement le rebord de la fenêtre comme pour chercher à sortir.

Alice rejoignit Sarah qui, déjà, s'était précipitée à la fenêtre. Vaguement inquiètes, elles regardèrent de tous côtés, mais ne virent personne.

« Vraiment, mon vieux Togo, tu exagères, déclara Alice irritée. Je me demande ce qui te prend : il n'y a pas un chat ! »

Cependant, le fox, nullement convaincu par les paroles de sa maîtresse, ne fit qu'aboyer et se démener de plus belle. Enfin, il se précipita à la porte d'entrée et se livra à une mimique désespérée pour montrer à sa jeune maîtresse qu'il voulait sortir.

« Que se passe-t-il donc ? dit alors Alice, perplexe. Je n'ai encore jamais vu Togo se comporter ainsi... »

À présent, complètement déchaîné, il bondissait contre la porte en aboyant avec rage.

« Togo a raison ! s'exclama soudain Sarah. Il y avait quelqu'un de caché sous la fenêtre : je viens de voir une ombre traverser la véranda ! »

Alice bondit vers la porte.

« Ah ! c'est donc cela ! » s'écria-t-elle. Et, se rappelant tout à coup le bruit insolite qu'elle avait déjà entendu la nuit précédente, elle conclut : « On nous espionne ! »

Chapitre 8

Une ruse

Dès qu'Alice eut ouvert la porte, Togo sortit comme un fou et se précipita vers le garage, en aboyant à pleine voix.

« Il a certainement vu quelqu'un », déclara Alice.

Elle s'avança sur la véranda, examina le plancher. On y distinguait des traces de pas : ceux d'un homme qui s'était approché des fenêtres et s'était finalement posté à l'entrée du vestibule où se trouvait le téléphone.

« Pas de doute : on écoutait ce que je disais, conclut Alice. Et maintenant, il faut que j'aille voir ce qui se passe dans le jardin... »

Laissant Sarah en faction à la fenêtre du salon, elle courut rejoindre Togo devant le garage. Elle ouvrit les portes de celui-ci, regarda à l'intérieur. Il était vide.

Le fox tournait à présent autour du jardin, l'air affairé, le nez au sol, comme s'il cherchait une piste. Soudain, il partit en flèche, prit la direction de la rue, puis s'arrêta net au bord du trottoir. Il eut beau flairer de tous côtés : la trace se perdait là...

« Inutile de s'entêter ; notre homme a décampé », déclara Alice.

Cependant, Sarah demeurait fort inquiète.

« C'était sûrement l'un des membres de la bande du Masque de Velours, affirma-t-elle. Et je parierais qu'il voulait reprendre cette cagoule...

— Mais non, voyons, fit Alice. S'il était venu pour cela, tu penses bien qu'il ne se serait pas contenté de nous espionner... D'ailleurs, je vais tout de suite téléphoner au commissaire Morgan afin de le mettre au courant de la situation. Tu seras ainsi rassurée... »

La jeune fille exécuta son projet sur-le-champ.

Cependant la pauvre Sarah ne parvenait pas à surmonter son angoisse, et, voyant qu'elle tressaillait au moindre bruit, Alice décida de rester auprès d'elle. Vers midi, elles se trouvaient ensemble dans l'une des chambres du premier étage lorsque la vieille gouvernante sursauta.

« Tu as entendu, Alice ? s'écria-t-elle. Qu'est-ce que c'est ?

— Quelqu'un qui vient de sonner à la porte, sans plus. Reste ici, je descends ouvrir.

— Prends garde ! Si c'était une ruse... »

Mais les soupçons de Sarah se révélèrent sans fondement. Quand Alice ouvrit la porte, un télégraphiste lui tendit un pli à son adresse. Intriguée, elle se hâta de déchirer l'enveloppe. Celle-ci contenait le texte d'un télégramme, ainsi libellé :

AI DÉCOUVERT SIGNIFICATION DATES. INUTILE TÉLÉPHONER PARNELL. VIENS ME REJOINDRE BELFORD CE SOIR. APPORTE CAGOULE. — PAPA.

« Est-ce une mauvaise nouvelle ? demanda Sarah, rejoignant la jeune fille.

— Non », répondit Alice. Elle relut le message, pensive. « C'est curieux ! Pourquoi papa me demande-t-il d'aller à Belford puisqu'il compte rentrer ici ce soir ? Qu'en penses-tu, Sarah ? »

Celle-ci examina la dépêche à son tour.

« Ton père a sans doute réussi à tirer toute l'affaire au clair, et il doit avoir quelque chose de très pressé à te dire, conlut-elle. Il faut que tu ailles là-bas.

— C'est justement ce que je suis en train de me demander... Il s'agit peut-être d'un piège...

— Mais tu as raison ! Et moi qui n'y avais même pas pensé !... Dans ces conditions, il n'y a qu'une chose à faire, c'est de vérifier si ce télégramme a bien été envoyé par ton père... »

Le conseil était judicieux, et Alice s'empressa de téléphoner à l'hôtel Amiral où James Roy avait coutume de descendre lorsqu'il séjournait à Belford. On lui répondit malheureusement que l'avocat n'était pas dans sa chambre, mais Alice put obtenir l'assurance qu'il n'avait pas encore demandé sa note. Elle apprit aussi qu'une dépêche avait été expédiée du bureau de l'hôtel à l'adresse de Mlle Alice Roy, River City, et que l'on avait porté les frais d'envoi au compte de son père.

Satisfaite de ces renseignements, Alice raccrocha l'appareil et se tourna vers Sarah.

« Aucun doute : c'est bien papa qui m'a télégraphié, dit-elle. Je vais donc me rendre à Belford avec le masque comme il me le demande. »

Sans plus attendre, la jeune fille se mit en communication avec la gare et demanda le bureau des renseignements. Il n'y avait plus qu'un seul express pour Belford et il quittait River City deux heures plus tard.

« Puisque papa veut que je sois là-bas ce soir, je n'ai pas le choix. Je prendrai donc ce train-là », décida Alice.

À peine avait-elle dit ces mots que Togo se mit à gronder et courut vers la porte.

« C'est comme tout à l'heure ! » s'écria Sarah ; et, négligeant cette fois toute prudence, elle se précipita au-dehors.

Elle ne vit personne. Une voiture en stationnement devant la maison voisine démarra... Était-ce son conducteur qui avait cherché à surprendre les faits et gestes d'Alice ? Furieuse,

Sarah revint dire à la jeune fille ce qu'elle avait vu.

« Il vaudrait mieux que je demande à Bess et à Marion de coucher ici ce soir, déclara Alice.

— Nous serons chez toi dans un quart d'heure », promirent-elles à Alice.

Bess et Marion arrivèrent alors que la jeune fille n'avait pas encore achevé de choisir ce qu'elle emporterait à Belford.

« Comment, tu t'en vas ! s'exclama Marion. Et si quelqu'un en profitait pour te dérober le masque ?

— J'y ai déjà pensé, reconnut Alice. Cette cagoule est la seule pièce à conviction que l'on possède et, si je la perdais, ce serait une catastrophe...

— Alors, pourquoi te mettre en route dans ces conditions ? fit Bess, étonnée.

— Papa m'attend.

— Mais voyons, il est impossible que ton père te laisse courir de tels risques, protesta Marion. Cette histoire-là ne me dit rien qui vaille...

— À moi non plus, ajouta Bess.

— Ça y est, j'ai une idée ! » s'écria brusquement Marion. Elle fit claquer ses doigts dans un grand geste d'enthousiasme et continua avec fougue : « Vous allez voir : tout marchera comme sur des roulettes ! »

Alice, qui pliait justement la cagoule de

velours noir avant de la déposer dans sa valise, releva la tête, surprise.

« Que veux-tu dire, Marion ? demanda-t-elle.

— Que je vais prendre ta place, pardi ! Avec ton tailleur sur le dos et ta valise à la main, l'illusion sera parfaite...

— Sauf pour les cheveux, objecta Alice, regardant les boucles de son amie. Tu es aussi brune que je suis blonde...

— Tu oublies donc la maison Parnell ? Rien ne serait plus simple que d'aller louer deux perruques au Joyeux-Carnaval, une brune pour toi et une blonde pour moi ! »

Alice réfléchissait. L'idée lui plaisait ; enfin, si les pressentiments de ses amies étaient exacts, la ruse que suggérait Marion ne permettrait-elle pas de surprendre l'individu qui cherchait à s'emparer du masque ?

« Il y a un ennui, dit Alice. C'est qu'il ne faut à aucun prix que l'une de nous s'en aille louer les perruques chez Parnell. Avec tous ces gens qui, depuis hier, semblent décidés à épier nos faits et gestes...

— Le problème est facile à résoudre », déclara Marion. Et, se tournant vers Sarah qui venait d'entrer dans la pièce : « Voici la personne qui va nous tirer d'affaire », dit-elle.

Quelques instants plus tard, Bess et Marion téléphonaient à leurs parents pour obtenir leur assentiment, et, celui-ci ayant été accordé sans difficulté, le voyage des trois amies se trouva décidé. Et c'est ainsi qu'avant d'avoir pu comprendre ce qui lui arrivait, la pauvre Sarah se retrouva installée dans un taxi, en route pour le Joyeux-Carnaval !

En attendant son retour, les jeunes filles réglèrent les détails de leur plan : on mettrait le masque dans le sac de voyage de Bess et Marion prendrait la mallette d'Alice, reconnaissable aux initiales A.R. gravées sur le cuir.

Dès que Sarah fut revenue, nantie des deux perruques et des billets de chemin de fer, Bess et Marion partirent chez elles changer de tenue.

« Dépêchez-vous, recommanda Alice. Et surtout, Bess, n'oublie pas de prendre un sac sans initiales. Moi, je vais en faire autant. »

Une demi-heure s'était à peine écoulée qu'Alice et Bess se rejoignaient sur le quai de la gare.

Il ne restait plus que cinq minutes avant le départ. Bientôt, un coup de sifflet prolongé annonça l'approche de la locomotive. C'est alors qu'une voyageuse déboucha à l'extrémité du quai en courant. C'était Marion.

« Regarde, Alice, dit Bess, à voix basse. On croirait voir ta sœur jumelle, ou plutôt... ce que tu étais toi-même avant de te transformer en Marion Webb !

— Chut, pas si fort, fit Alice vivement. Et quand ta cousine grimpera dans le train, ne la regarde pas. Rappelle-toi que c'est pour nous une inconnue... »

Ainsi qu'il avait été convenu, les deux jeunes filles montèrent dans la seconde voiture et s'installèrent à l'extrémité, vers l'arrière. Les wagons américains n'étant pas divisés en compartiments, ces places qu'elles avaient choisies leur permettaient d'observer parfaitement leurs compagnons de voyage.

Marion entra à son tour. Elle prit un siège à l'avant de la voiture et disposa sa valise à côté d'elle de manière que les initiales fussent bien en évidence. Ainsi, elles ne pourraient échapper à quiconque passerait dans l'allée centrale.

Alice poussa le coude de sa compagne afin d'attirer son attention sur trois personnes qui venaient de monter dans la voiture, presque sur les talons de Marion. La première était une grande femme brune, élégamment vêtue d'un tailleur de bonne coupe. Elle avait des yeux sombres et une longue figure maussade. Deux hommes l'accompagnaient.

Ces derniers dévisagèrent Marion qui s'était mise à feuilleter une revue. Puis leur regard parcourut toute la longueur du wagon avant de s'arrêter sur Alice et Bess.

La femme et l'un de ses compagnons s'assirent enfin à la hauteur de l'endroit où se trouvait Marion, mais de l'autre côté de l'allée centrale.

L'autre voyageur s'avança dans le passage et vint s'installer en face d'Alice et de Bess. Complication imprévue pour les deux jeunes filles qui étaient à présent dans l'impossibilité de parler librement. Elles ne songèrent cependant pas à s'en inquiéter, tant elles jubilaient, persuadées que leur ruse n'avait pas été inutile.

En effet, rien n'eût été plus facile aux trois arrivants que de choisir d'autres places, car il n'en manquait pas de libres dans le wagon. Mais, au lieu de cela, deux d'entre eux s'étaient assis délibérément à proximité de la voyageuse qu'ils croyaient être Alice Roy. Quant au troisième, sans doute avait-il pour consigne d'écouter ce que diraient Alice et Bess.

Cependant, l'homme assis en face d'Alice s'était plongé dans un journal de New York et semblait ignorer complètement son entourage.

Une demi-heure plus tard, un contrôleur traversa le wagon en annonçant l'arrêt suivant. C'était une petite ville commerçante dont Alice ne connaissait guère que le nom. À ce moment, la jeune fille remarqua que son vis-à-vis pliait tranquillement son journal. Avait-il donc l'intention de descendre à la prochaine gare ?

« Me serais-je trompée sur le compte de cet homme ? » se demanda Alice, perplexe.

Son regard croisa celui de son amie, et elles se comprirent. Comme le train commençait à ralentir, elles jetèrent un coup d'œil à l'avant de la voiture pour voir ce qu'allaient faire les voisins de Marion.

Elles n'eurent que le temps d'apercevoir la femme se lever, enjamber l'allée et se pencher vivement sur la voyageuse. Quand elle se redressa, la fausse Alice s'était affaissée sur son siège, comme évanouie !

Chapitre 9

Le rapt

« Mon Dieu, voici notre fille qui se trouve mal ! s'écria l'inconnue assez haut pour qu'Alice et Bess puissent l'entendre. Il faut que nous la sortions d'ici tout de suite ! »

Au même instant, le train s'arrêta. En un clin d'œil, la femme empoigna la mallette aux initiales d'Alice tandis que son compagnon soulevait Marion dans ses bras et l'emportait vers la sortie.

Bouleversées, Alice et Bess attrapèrent leurs sacs à la volée et s'élancèrent à la poursuite des ravisseurs. Mais le voyageur qui était assis devant elles se leva d'un bond pour leur barrer le chemin.

« Vite, laissez-nous passer ! s'écria Alice.

— Vous êtes donc si pressée, ma petite-

dame ? » demanda l'homme, goguenard, sans bouger d'un pouce.

Alice comprenait à présent le rôle assigné à ce troisième personnage... Les bandits avaient pris leurs précautions, afin que l'enlèvement de leur adversaire pût se dérouler sans le moindre heurt.

« Filons de l'autre côté, vite ! » souffla brusquement Alice à sa compagne.

Et, faisant volte-face, suivie par Bess, elle se précipita vers l'issue qui se trouvait à l'autre extrémité du wagon.

L'homme rejoignit les fugitives à l'instant où elles atteignaient la portière. Il les bouscula brutalement, passa devant elles et se campa sur le marchepied pour les empêcher de descendre.

« Laissez-nous passer ! » cria Alice.

Hors d'elles, les deux jeunes filles se jetèrent sur le malotru qui, surpris, faillit perdre l'équilibre. Elles en profitèrent pour sauter à terre. Mais Marion et ses ravisseurs avaient disparu. Soudain, les portières d'une auto en stationnement claquèrent à grand bruit. Alice et Bess n'eurent que le temps de voir la voiture, d'où tombait un petit objet, démarrer et disparaître à l'angle de la place !

« Vite, il faut qu'on prenne ces bandits en chasse ! s'écria Alice. Et toi, Bess, va voir si leur complice est encore dans le train : dans ce cas, empêche-le de se sauver ! »

Elle courut vers le bureau du commissaire de police de la gare.

Bess, rassemblant tout son courage, se hâta de partir à la recherche du bandit. Mais à peine s'était-elle mise en route que l'homme sortit de la gare en courant et sauta dans un taxi qui s'éloigna en un clin d'œil...

Cependant Marion se sentait revenir à elle. Encore incapable d'accomplir le moindre geste, ni même de soulever les paupières, elle entendit une voix d'homme qui disait, semblant venir de très loin :

« Bien joué ! Cette fois-ci, Alice Roy n'a pas été la plus maligne... As-tu la cagoule ?

— Elle doit être dans la valise, répondit une voix féminine.

— Alors, qu'attends-tu pour la prendre ? Il faut que nous ayons le temps de nous débarrasser de ce maudit masque avant que notre chère enfant ne retrouve ses esprits. »

Marion entendit claquer les serrures de sa valise. Rapidement, la femme inspecta le contenu.

« Je n'y comprends rien, murmura-t-elle. Il n'y a pas plus de masque que sur ma main...

— Comment ! s'écria l'homme.

— ... Et regarde donc les initiales de ce chemisier : M.W. ... Cette jeune fille n'est pas Alice Roy ! »

À cet instant, intervint un troisième personnage, le conducteur de la voiture.

« Triple idiote ! vociféra-t-il. Tu ne sais donc faire que des âneries !

— Mais tu nous avais dit qu'Alice était très blonde, et quand nous avons vu cette fille-là, avec les initiales A.R. sur la valise, nous avons pensé...

— Comme si vous étiez jamais capables de penser à quelque chose ! » railla l'homme.

Il freina, engagea sa voiture sur le bas-côté de la route et la dissimula dans un taillis. Il mit alors pied à terre, et, ouvrant la porte arrière, regarda longuement la jeune fille endormie sur les coussins.

« Nous avons été joués, conclut-il avec rage. Son tailleur est celui d'Alice, son chapeau aussi... Mais, ma parole, elle a même une perruque ! » D'un geste vif, il arracha la coiffure de Marion et, fou de colère, se tourna vers ses complices : « Pauvres imbéciles ! Quand je pense que vous étiez en face d'elle dans le train et que vous n'avez rien vu ! S'il ne s'agissait que d'elle, ce ne serait rien, mais il y a Alice Roy !... Dieu sait ce qu'elle a déjà pu faire au sujet des dates qui étaient inscrites à l'intérieur du masque ! Ah ! nous sommes dans de beaux draps... et pour finir de tout arranger, voilà cette vaurienne qui commence à se réveiller ! »

Depuis quelques instants, Marion essayait d'ouvrir les yeux, mais elle était si lasse et ses paupières si lourdes que l'effort lui parut insurmontable.

« Mets-lui un bandeau ! » ordonna l'homme à son complice.

Celui-ci s'empressa de nouer un foulard autour de la tête de la jeune fille.

La femme se pencha sur elle.

« Où se trouve la cagoule de velours noir ? lui demanda-t-elle d'une voix sifflante. Qu'en a fait Alice Roy ? »

Ces phrases demeurèrent sans réponse. Les questions posées par la femme n'étaient pour Marion qu'un chaos de mots dénués de sens.

« Attends, je vais bien la faire parler, moi, dit alors l'un des bandits avec une inflexion sinistre. J'ai là une petite drogue qui réussit toujours... »

Marion eut vaguement conscience d'une légère piqûre au bras. Il y eut quelques instants de silence, puis l'homme commanda :

« Parle ! »

La jeune fille sentit une lassitude nouvelle envahir ses membres et lui obscurcir l'esprit. Elle perdit connaissance.

« Tu as trop forcé la dose ! s'exclama la femme, furieuse. Je voudrais bien savoir qui est cette fois l'imbécile !

— Oui, on peut dire que c'est du beau travail », fit son compagnon d'un ton ironique.

L'homme haussa les épaules.

« C'est bon, c'est bon, grommela-t-il. Je conviens que j'y suis allé un peu fort... Alors, il s'agit de filer d'ici avant que la jeune fille ne lance la police à nos trousses.

— Écoutez ! J'entends une voiture ! jeta soudain la femme, affolée. Vite, débarrassons-nous de la gamine et de sa valise ! Et sauvons-nous ! »

Les malfaiteurs empoignèrent Marion et la sortirent de l'automobile en toute hâte. Puis ils la déposèrent au pied d'un arbre et mirent sa mallette et son sac à main dans l'herbe auprès d'elle.

Puis la femme saisit Marion par le bras et serra très fort. En même temps, elle lui parla à l'oreille. Malgré l'état d'inconscience dans lequel se trouvait la jeune fille, les mots s'imprimèrent dans son esprit comme une marque au fer rouge.

« Et maintenant, ma belle enfant, un conseil : ne t'avise pas d'oublier ce que je viens de te dire », souffla la femme en terminant.

Elle courut à la voiture et sauta dedans. Le véhicule démarra aussitôt et, gagnant la route, s'éloigna dans un nuage de poussière.

Restée seule, Marion exhala un profond soupir, puis se rendormit d'un sommeil de plomb.

Chapitre 10

Poursuite

Bess avait rejoint Alice chez le commissaire de police de la gare. Elles le supplièrent de lancer immédiatement ses hommes à la poursuite des ravisseurs et de leur victime.

« Avez-vous pu relever le numéro de la voiture ? » demanda le policier aux deux jeunes filles.

Elles secouèrent la tête négativement.

« C'était une conduite intérieure grise, dit Alice. Elle a filé par la première rue à droite... Ne pourrait-on tenter de la rejoindre ?

— En ce qui me concerne, il m'est impossible de quitter mon poste, mais je vais tout de suite signaler votre affaire, déclara le policier. Avez-vous d'autres détails à me fournir ? »

Alice marqua une légère hésitation.

« Non », répondit-elle cependant.

En réalité, la jeune fille avait fait une autre constatation ; mais si rapide qu'elle préférait n'en pas parler et la vérifier elle-même. Au moment où la voiture des bandits démarrait sur la place de la gare, Alice avait cru voir un petit objet voler par l'une des fenêtres et rouler sur le sol. On eût dit un disque de métal. Il s'agissait évidemment de le chercher, mais, pour l'instant, le temps manquait.

L'officier se leva et appela au téléphone le chef de la gendarmerie.

« C'est entendu, annonça-t-il aux jeunes filles en raccrochant. La gendarmerie va se lancer sur la piste, mais le capitaine voudrait que vous participiez aux recherches.

— Volontiers. Où devons-nous le rencontrer ? s'enquit Alice, impatiente.

— À l'embranchement de la route du Vieux-Moulin, répondit le policier. Ce n'est pas très loin : je vais vous y conduire moi-même. »

À l'intersection de la route du Vieux-Moulin, deux officiers de gendarmerie attendaient auprès d'une voiture radio. Le commissaire les présenta.

« Lieutenant Connolly, lieutenant Wilkie », dit-il aux jeunes filles.

Celles-ci se hâtèrent de grimper aux côtés des deux hommes, et l'on se mit en route. Alice dut raconter de nouveau l'enlèvement de Marion, sans omettre le moindre détail. Elle en profita pour préciser ce qu'elle savait de l'origine de l'affaire. Les policiers écoutaient, le visage soucieux.

« Bigre, fit Wilkie lorsque le récit fut terminé, si le gang au Masque de Velours est dans le coup, l'aventure risque d'être très sérieuse... »

Cependant les jeunes filles et leurs compagnons scrutaient le chemin dans l'espoir d'apercevoir enfin la conduite intérieure grise...

Finalement, Wilkie envoya un message radio au chef de région pour l'aviser que les recherches entreprises sur la route du Vieux-Moulin ne donnaient aucun résultat. Il demandait en même temps si l'on avait reçu quelque nouvelle intéressante des autres localités où la police était également alertée. On lui répondit que les bandits n'avaient été signalés nulle part.

L'officier venait de couper la transmission quand Alice poussa un cri :

« Arrêtez ! »

Ses yeux perçants avaient eu le temps d'entrevoir une silhouette adossée au tronc d'un arbre, en lisière du boqueteau qui, à cet endroit, s'étendait en bordure de la route.

« C'est Marion ! » s'écria-t-elle.

La jeune fille avait perdu sa perruque blonde et elle semblait à demi inconsciente. Alice et Bess bondirent de la voiture et coururent vers leur compagne. Comme elles commençaient à lui frotter les mains, Marion souleva les paupières.

« Vous ! » murmura-t-elle ; et elle éclata en sanglots dans les bras d'Alice.

Bess passa son bras autour des épaules de sa cousine.

« Que s'est-il donc passé ? questionna-t-elle, stupéfaite d'une pareille crise de larmes, si contraire au caractère de Marion.

— C'est cette horrible femme, balbutia la jeune fille, tremblant comme une feuille. Elle a dit des choses si affreuses...

— N'y pense plus, va, conseilla Bess. Tu t'es tirée de l'aventure saine et sauve : c'est l'essentiel.

— Oh ! non, il y a bien plus important », repartit Marion d'une voix sourde que ses compagnes ne lui connaissaient pas.

Elle s'exprimait en outre avec une lenteur étrange.

« Il faut qu'Alice abandonne son enquête, ajouta-t-elle si bas qu'on l'entendit à peine.

— ... Que j'abandonne mon enquête ? » répéta Alice, d'abord incrédule. Puis elle s'indigna. « Voyons, Marion, s'écria-t-elle, c'est toujours toi qui n'as cessé de m'encourager à poursuivre l'affaire jusqu'au bout...

— J'avais tort... Il t'arrivera malheur, Alice... Je t'en prie, écoute-moi... »

Cependant, les policiers qui s'étaient approchés suivaient cette conversation avec surprise. Et le lieutenant Wilkie demanda ce qu'avait voulu dire la jeune fille en parlant de certaine enquête menée par Alice... Alors Bess se mit à faire l'éloge de son amie, vantant ses brillantes qualités et ses remarquables exploits de détective.

« Il ne faut pas qu'elle continue à s'occuper de cela », répéta obstinément Marion.

Bess et Alice échangèrent des regards navrés. Elles ne reconnaissaient plus leur chère vieille Marion, toujours si remplie d'optimisme et d'ardeur. Sans doute se trouvait-elle encore sous le coup de la terrible épreuve qu'elle venait de subir, mais il fallait espérer qu'une bonne nuit de repos suffirait à lui faire retrouver son humeur habituelle.

Wilkie s'agenouilla auprès de la jeune fille et se mit à lui tâter le pouls. Puis il hocha la tête et, laissant retomber le poignet de Marion, demanda avec douceur :

« Racontez-moi tout ce qui s'est passé...

— Je ne sais pas, répondit-elle. Cette femme s'est penchée sur moi. Elle avait un mouchoir à la main... J'ai senti un parfum bizarre, une espèce d'odeur sucrée... et puis je me suis évanouie.

— Quand avez-vous repris vos sens ?

— On était en train de me descendre de l'auto », commença Marion. Soudain son regard tomba sur une vilaine tache rouge qui marquait son avant-bras. Elle s'arrêta, surprise. « Tiens, j'ai été piquée par un moustique », reprit-elle.

Le lieutenant, qui, lui aussi, avait remarqué ce détail, considéra la jeune fille gravement.

« Je ne pense pas qu'il s'agisse d'une piqûre d'insecte, dit-il. Je croirais plutôt que vos ravisseurs ont utilisé une aiguille hypodermique et une seringue pour vous injecter une drogue quelconque... »

Dès que l'on eut regagné la ville, Marion fut confiée aux soins d'un médecin qui l'examina et l'interrogea. Il déclara ensuite aux policiers qu'il lui semblait impossible de déterminer quel produit les bandits avaient administré à leur prisonnière. Aussi conseillait-il de reconduire immédiatement celle-ci à son domicile et de lui faire garder le lit pendant quelques jours afin d'éviter tout accident.

« Je vais téléphoner à maman de venir nous chercher », dit Bess.

Dans l'intervalle, Alice avait appelé son père à l'*Amiral*, pour lui annoncer l'incident qui l'empêcherait de le rejoindre en temps voulu à Belford. Mais elle apprit à sa grande surprise que James Roy avait quitté l'hôtel en fin de matinée.

« Le télégramme était donc bien un piège, se dit-elle. Ces bandits sont décidément des gens fort habiles. »

Se mettant aussitôt en communication avec River City, Alice découvrit que son père, revenu de Belford en avion, se trouvait déjà de retour à son bureau. Elle l'y appela sur-le-champ et lui raconta les événements de la journée.

« Je n'aime pas du tout cette histoire, dit James Roy. Nous sommes aux prises avec un véritable gang. Cela risque de devenir fort dangereux et je te conseille d'abandonner.

— Mais, papa, c'est toi-même qui m'as donné une tâche à remplir : je veux aller jusqu'au bout, protesta Alice. Il m'est impossible de tout laisser en plan à présent !

— Alors, mon petit, promets-moi d'être prudente et de poursuivre tes investigations sur place, ici même. À propos, tu rentres à la maison ce soir, n'est-ce pas ?

— Oui, papa. La mère de Bess doit venir nous chercher. »

En attendant l'arrivée de Mme Taylor, Alice décida de retourner à la gare. Elle voulait retrouver cet objet qu'elle avait vu tomber de la voiture des ravisseurs.

Lorsqu'elle annonça son intention à ses amies, Marion objecta faiblement :

« Crois-tu que ce soit bien nécessaire ?... Je t'en prie, ne t'occupe plus de ces bandits... »

Alice regarda la jeune fille, et, prise de pitié, faillit lui dire que, si cette nouvelle démarche devait la tourmenter à ce point, elle y renoncerait. Mais Marion s'était déjà rendormie sur le divan où le médecin l'avait installée.

« Je serai de retour avant qu'elle ne se

réveille », murmura Alice à l'oreille de Bess ; et elle quitta la pièce.

Elle se rendit directement sur la place de la gare où elle passa vingt minutes à scruter le trottoir et la chaussée à l'endroit d'où la voiture grise avait démarré. Soudain, comme elle allait abandonner la partie, elle aperçut dans le caniveau une petite plaque rectangulaire.

Elle ramassa vivement l'objet et reconnut sans peine l'une de ces marques de métal que remettent les grands magasins américains à ceux de leurs clients attitrés qui ont un compte de crédit ouvert dans la maison. Pratique ingénieuse qui favorise la vente et donne à l'acheteur l'impression fallacieuse de ne pas dépenser son argent... Il lui suffit en effet de présenter sa marque à un comptoir pour que l'article qu'il vient de choisir soit ensuite livré à son domicile et facturé au débit de son compte.

Alice examina de plus près sa trouvaille. Le métal aplati et déformé, sans doute par le passage de quelque véhicule, rendait le nom et le numéro gravés sur la plaque illisibles. Cependant, l'on distinguait encore ces mots, manifestement incomplets : *Mor* et *Person.*

« *Mor... Person...,* se dit la jeune fille, songeuse. Je me demande s'il ne s'agirait pas des magasins Morris, de River City... L'un des bandits serait-il employé chez Morris ? Demain, j'irai au magasin et je verrai le chef du service de crédit. »

Sur ce, Alice se hâta de rejoindre ses amies. Ainsi qu'elle l'avait espéré, Marion dormait encore. Quelques instants plus tard arriva Mme Taylor, qui se montra bouleversée en apprenant ce qui s'était passé. Mais le médecin lui assura que sa nièce ne courait plus aucun danger.

Marion se réveilla dans la voiture, alors que ses compagnes parlaient de masques. Elle parut se désintéresser de la conversation et se tourna vers la glace, le regard perdu dans le vide. Espérant la distraire de ses pensées, Alice dit alors :

« Tu sais, Marion, je viens de lire un livre entier sur l'histoire des masques. C'est passionnant... Te doutais-tu, par exemple, que, chez beaucoup de peuplades primitives, les masques servaient à chasser les démons et les esprits malfaisants ?

— Ah ! oui ? fit Marion distraitement.

— Les Romains fabriquaient, paraît-il, des masques de cire, reprit Alice. Et on en a trouvé d'autres, en or, dans les tombeaux égyptiens. C'étaient des masques funéraires qui...

— Pourquoi faut-il que vous vous obstiniez à parler de choses aussi épouvantables ? coupa tout à coup Marion, saisie d'un frisson d'horreur. Tu as vraiment des idées morbides, Alice !

— Pardonne-moi, s'empressa de dire la jeune fille. Je ne me rendais pas compte...

— Ne parlons plus de masques, supplia

Marion en triturant nerveusement son mouchoir entre ses doigts. Pour ma part, je suis fatiguée et je ne veux même plus entendre prononcer leur nom. »

On s'abstint de revenir sur le sujet qui déplaisait tant à la jeune fille et le reste du trajet s'effectua sans nouvel incident.

Alice ne revit pas son amie le lendemain, mais elle obtint des nouvelles par téléphone : Marion avait passé une nuit agitée et tenu des propos incohérents dans son sommeil. Le nom de la bande au Masque de Velours y était revenu sans cesse.

« Pauvre Marion, se disait Alice. Tout cela est ma faute ; jamais je n'aurais dû lui laisser prendre ma place... »

Dans la matinée, la jeune fille se rendit aux magasins Morris.

Elle fut reçue par M. Johnson, qui dirigeait le service des comptes de crédit. Exposant le but de sa visite, elle expliqua qu'un lien existait sans doute entre une certaine bande de cambrioleurs et la marque qu'elle avait découverte.

« Je suis quasi persuadée de tenir là un indice capital et je le crois susceptible de mettre la police sur la piste des voleurs », conclut-elle, tendant la plaque à son interlocuteur.

Dès qu'il la vit, celui-ci fronça le sourcil.

« Il s'agit en effet de l'une de nos marques, dit-il après quelques secondes d'examen. Elle appartient à un membre de notre personnel, mais lequel ?... Il m'est absolument impossible de vous en dire davantage.

— Pourquoi donc ? » questionna Alice, interdite.

M. Johnson parut manifester une certaine impatience.

« Mademoiselle, reprit-il, notre maison est importante : nous employons ici plusieurs centaines de personnes qui, toutes, ont chez nous un compte de crédit. Il nous faudrait donc vérifier autant de marques pour être en mesure de vous fournir les renseignements que vous demandez...

— Ne serait-il pas plus simple de consulter vos livres ? J'imagine qu'ils portent trace des employés à qui ont été remises ces plaques...

— Sans doute, mais vous oubliez que le numéro de celle-ci est illisible. Nous ne pouvons faire subir un interrogatoire à l'ensemble de notre personnel. Croyez bien que je regrette de ne pouvoir vous aider, mademoiselle, nous ne disposons malheureusement pas du temps suffisant pour satisfaire à votre requête.

— Même s'il se trouvait que le propriétaire de cette plaque fût un dangereux malfaiteur, recherché par la police ? »

M. Johnson s'était levé, montrant ainsi clairement à sa visiteuse qu'il jugeait l'entretien terminé. Sous l'insinuation contenue dans les derniers mots de la jeune fille, le rouge lui monta au visage et il riposta d'un ton cinglant :

« Les magasins Morris ne comptent certainement aucune personne de ce genre parmi leur personnel. Je vous salue, mademoiselle ! »

Chapitre 11

Une femme mystérieuse

Décontenancée, Alice fit un pas en direction de la porte. Mais, bien que M. Johnson l'eût déjà congédiée, elle ne se tenait pas pour battue.

« Vous n'oubliez qu'une chose, reprit-elle, c'est qu'un personnage douteux, mais suffisamment habile, a très bien pu se glisser parmi vos employés, sachant qu'il n'y serait jamais soupçonné...

— C'est vrai, reconnut M. Johnson qui ne pouvait s'empêcher de regretter l'impatience qu'il avait manifestée à la jeune fille. Comprenez-moi, mademoiselle, passer au crible tout notre personnel serait une tâche impossible...

— Je sais un excellent moyen de procéder rapidement à ce contrôle, dit alors Alice. Vous n'avez qu'à demander à vos employés de rendre leurs marques en donnant pour prétexte que celles-ci doivent être changées. Ainsi, la personne qui n'aura pu remettre la sienne sera forcément la propriétaire de celle-ci... »

M. Johnson parut réfléchir.

Finalement, il dut admettre que la méthode suggérée par la visiteuse serait aisément praticable.

« Vous savez présenter vos arguments, mademoiselle, dit-il en souriant. Je vais procéder au contrôle que vous me demandez. »

Satisfaite d'avoir fait tout ce qui était en son pouvoir pour retrouver le propriétaire de la marque, Alice se rendit ensuite au bureau de son père. En quelques mots, la jeune fille mit l'avocat au courant de sa démarche chez Morris, puis elle annonça son intention de surveiller les allées et venues de M. Tombar.

« Quand il partira déjeuner, je le suivrai », déclara-t-elle.

Alice raconta à son père comment elle avait vu M. Tombar quitter le Joyeux-Carnaval, un paquet sous le bras, alors que l'on venait de subtiliser une cape dans l'armoire aux costumes...

« Quand j'ai voulu le suivre, il m'a semée, continua-t-elle. De plus, il ne cesse de se montrer odieux avec Linda, dont l'honnêteté est au-dessus de tout soupçon, j'en suis sûre. Mais, comme elle est en même temps fort intelligente, je ne serais pas étonnée que M. Tombar ne redoutât sa perspicacité... Et puis aussi, rappelle-toi ce vol que l'on a commis récemment chez Parnell... cette quantité de costumes et de masques qui ont disparu... Je me demande si M. Tombar n'en saurait pas plus à ce sujet qu'il ne veut bien le dire.

— Cette accusation est grave, Alice, et je te conseille de n'en faire part à personne tant que tu n'auras pas obtenu un commencement de preuve...

— Je te le promets, papa. »

Alice téléphona ensuite à Linda Sedley et apprit avec étonnement que M. Tombar n'avait pas paru à son bureau de la matinée.

« Tu sais, poursuivit Linda, le manteau n'a toujours pas été retrouvé... Mais j'ai autre chose à te dire. Viens me voir à midi, veux-tu ?

— Entendu. Je te retrouverai à la petite buvette qui est en face du Joyeux-Carnaval. »

Les deux jeunes filles ne tardèrent pas à se rejoindre. Elles s'attablèrent côte à côte devant une assiette de sandwiches et un verre de citronnade. Linda, qui semblait avoir repris sa gaieté coutumière, annonça à son amie que tout allait à présent pour le mieux dans la maison Parnell.

« Nous avons donné plusieurs réceptions sans aucun incident, ajouta-t-elle. Les choses semblent donc s'arranger, bien que l'on ne puisse évidemment jurer de rien... Dis-moi, Alice, aimerais-tu aller à un beau concert ?

— Quand cela ?

— Demain après-midi. Chez Mme Linnell,

boulevard des Érables. On doit présenter une cantatrice française, Mlle du Velay. Ce sera très chic... et puis il y aura un buffet magnifique ! »

Alice ne put s'empêcher de rire.

« Cette réception est organisée par la maison Parnell ?

— Oui, et, si tu veux, je n'aurai aucune peine à te procurer une invitation. Je serai là-bas. »

Alice accepta l'offre de son amie sans hésiter davantage.

« C'est entendu, Linda, dit-elle.

— Je vais t'envoyer l'invitation chez toi demain matin par un garçon de courses, reprit Linda. Cela te permettra de te rendre directement chez Mme Linnell. »

Le lendemain, en arrivant à l'élégante maison qu'habitait Mme Linnell, Alice présenta sa carte d'invitation au valet surveillant l'entrée. Puis elle s'avança dans le vestibule et gagna le vaste salon dans lequel devait se donner le concert. Les pièces richement meublées regorgeaient de bibelots de grand prix, mais Alice remarqua que l'on ne semblait exercer aucune surveillance.

En attendant le début du concert, Alice sortit de la salle de musique et vint se poster non loin de l'entrée. Il lui serait ainsi possible d'observer les nouveaux arrivants. Quelques minutes s'étaient à peine écoulées qu'elle vit paraître M. Tombar. Celui-ci l'aperçut au même moment et se dirigea aussitôt vers elle.

« Tiens, tiens, mademoiselle, quelle surprise

de vous rencontrer ici ! s'écria-t-il avec une feinte bonhomie. Moi qui pensais que les jeunes filles de votre âge ne s'intéressaient qu'au jazz et aux derniers airs à succès !... Mais je m'aperçois que vous comptez parmi les admiratrices de Mlle du Velay...

— Je ne l'ai encore jamais entendue », répliqua Alice. Puis elle demanda brusquement : « Linda est-elle ici ? »

M. Tombar lança un rapide coup d'œil à son interlocutrice. Celle-ci ne broncha pas, afin de bien persuader le sous-directeur du Joyeux-Carnaval qu'elle venait de poser la question la plus naturelle du monde.

« Elle ne viendra pas, répondit-il d'un ton sec. Nous avons eu besoin de quelqu'un ailleurs. C'est pourquoi j'ai dû venir ici en personne. »

Alice garda le silence.

« Comment donc êtes-vous entrée ? reprit tout à coup M. Tombar.

— J'avais une invitation.

— Et d'où la teniez-vous ? grommela-t-il. Votre nom ne figurait pas sur la liste des invités.

— Vraiment ? Sans doute n'avez-vous pas bien regardé », fit Alice avec son plus gracieux sourire.

Sur ce, elle s'esquiva, regagna la salle de musique et s'installa au dernier rang de l'assistance, près de la porte.

Le concert commençait. La jeune fille écouta sagement quelques morceaux. Puis, jugeant que les apparences étaient sauves et que l'on ne pourrait désormais la soupçonner de n'être pas venue uniquement pour le concert, elle décida de commencer ses investigations. Elle quitta la salle sur la pointe des pieds et s'arrêta un instant dans le grand vestibule, ne sachant où se diriger. Le reste du rez-de-chaussée semblait désert...

Comme une femme de chambre descendait du premier étage, Alice l'arrêta pour lui demander si elle avait vu quelque part le représentant de la maison Parnell.

« Non, mademoiselle, répondit la domestique. Je n'ai pas quitté les chambres. Et là-haut, il n'y a personne, à part une dame qui ne se trouve pas très bien...

— Elle est souffrante ?

— Oui, mademoiselle. C'est une invitée. Elle vient d'avoir un malaise, il y a à peine quelques instants, et elle m'a demandé de lui monter une tasse de thé. Je vais en chercher à la cuisine.

— Où est cette dame ?

— Dans la chambre qui sert de vestiaire aux invités... »

Quand la domestique se fut éloignée, Alice demeura perplexe. Cette personne dont on lui avait parlé était-elle réellement malade ?

« Je m'en vais la voir, se dit la jeune fille. Ainsi, je saurai bien si l'histoire est vraie ! »

Elle monta l'escalier à pas de loup, traversa le palier, puis se glissa furtivement jusqu'à la chambre dont elle voyait la porte entrebâillée. Sans bruit, elle poussa celle-ci. Une femme mince, vêtue d'une robe bleu foncé qui moulait sa taille fine, lui tournait le dos. Debout devant une coiffeuse, elle était en train de s'emparer des bijoux que contenait l'un des tiroirs !

L'espace d'un éclair, Alice entrevit dans le miroir un visage aux traits accusés, à l'expression hardie, et elle eut au même instant la certitude de connaître cette femme. Mais où l'avait-elle rencontrée ?... Était-ce elle qui avait participé à l'enlèvement de Marion ? Non, certainement pas. Alors, l'aurait-elle vue au bal masqué, chez les Harwick ?... Oui, c'était bien cela ! Alice se retrouvait face à face avec l'Orientale, cette complice de l'homme à la cagoule de velours noir ! Et elle venait de la prendre sur le fait, en train de voler ! À présent, il fallait absolument l'empêcher de s'enfuir et appeler à l'aide.

Mais Alice n'eut pas le temps de faire un geste. Elle sentit qu'on l'empoignait brusquement par-derrière et, comme elle se débattait, une main se plaqua sur ses yeux.

« Et surtout, tais-toi », dit la femme d'une voix mordante.

On la poussa brutalement dans la chambre et, malgré sa résistance acharnée, on la jeta sur le lit, le visage enfoui dans les capes et les manteaux que les invités y avaient déposés. Elle resta là, incapable du moindre mouvement, clouée par une poigne de fer.

« Bravo ! s'exclama la femme. Cette petite peste n'a pas volé ce qui lui arrive !

— Je me doutais bien qu'il risquait de se passer ici quelque chose d'anormal », répondit alors la voix d'un homme, feignant de s'exprimer avec un accent d'Oxford qu'il exagérait encore.

Sans relâcher le moins du monde la prise qu'il avait sur sa prisonnière, l'homme eut un ricanement.

« J'ai l'impression que cette jeune personne n'est pas près de recommencer à se mêler de ce qui ne la regarde pas », dit-il.

En disant ces mots, il enroula Alice dans le dessus de lit et entassa sur elle une montagne de vêtements.

« Ne la ménage pas, reprit la femme. Arrange-toi pour que, cette fois, nous en soyons débarrassés !

— Je n'ai pas le temps, ma chère, répondit son compagnon avec emphase. Il va falloir que nous songions à nous retirer...

— Alors, mets-toi à parler comme tout le monde, veux-tu, et filons d'ici. Vite ! »

Alice rassembla ses forces et, bandant ses muscles, tenta de soulever la masse qui l'écrasait. L'air lui manquait et une affreuse panique s'empara d'elle tandis qu'elle luttait désespérément pour échapper à l'étouffement.

Soudain, à l'instant où elle se croyait perdue, le bandit la lâcha brusquement. Puis il s'enfuit avec sa complice.

Chapitre 12

Contre-espionnage

Il fallut plusieurs instants à Alice pour se débarrasser des vêtements sous lesquels elle était ensevelie. Lorsqu'elle put finalement bondir sur ses pieds et se précipiter hors de la chambre, les bandits avaient disparu.

Elle dévala l'escalier en trombe et au passage faillit renverser la femme de chambre qui montait chargée d'un plateau.

« Seigneur ! s'exclama la domestique regardant Alice avec effarement, que se passe-t-il ?

— La dame qui se disait malade n'était en réalité qu'une voleuse ! répondit la jeune fille.

— Grands dieux ! s'écria la femme de chambre.

— Avez-vous vu descendre quelqu'un ?

— Non, mademoiselle.

— Alors, ces deux bandits sont peut-être

encore cachés dans l'une des chambres. Venez, nous allons fouiller tout l'étage !

— Oh ! non, j'ai bien trop peur !

— Vous resterez donc dans le vestiaire, pendant que je chercherai, décida Alice. Mais je vous recommande de ne laisser personne prendre son manteau, tant que je ne serai pas revenue. »

Elle visita les chambres, ouvrit les placards, inspecta les cabinets de toilette, explora les moindres recoins susceptibles de servir de cachette. Enfin, s'étant ainsi assurée que les bandits n'étaient réfugiés nulle part, elle descendit au rez-de-chaussée.

Le calme y régnait, le vestibule était désert.

Soudain, retentit le bruit des applaudissements dans la salle de musique. Le concert était terminé, les auditeurs commencèrent à se répandre dans les salons et à se diriger vers la salle à manger où l'on avait dressé le buffet.

Alice s'approcha de l'hôtesse et se présenta. Puis elle la mit rapidement au courant de ce qui s'était passé.

« J'ignore si cette femme a eu le temps de dérober quelque chose, ou non, dit-elle. Peut-être devriez-vous aller voir s'il ne vous manque rien ? »

Mme Linnell se hâta de suivre la jeune fille.

« Je n'ai invité que des amis, dit-elle. Je ne vois pas du tout comment un cambrioleur aurait pu se glisser parmi eux... »

Cependant, il lui fallut bien se rendre à l'évidence en découvrant que plusieurs bijoux de grand prix avaient disparu. Elle chargea Alice d'alerter immédiatement la police.

« Je crois avoir un indice important, déclara la jeune fille au commissaire qui lui répondit. En effet, la voleuse a dû laisser ici un manteau qui permettra sans doute de l'identifier. »

À la demande de Mme Linnell, on dépêcha sur les lieux une inspectrice de la police en civil afin de surveiller le vestiaire. Il fut convenu que l'hôtesse se tiendrait à proximité et qu'elle s'efforcerait de reconnaître chacune des personnes qui viendraient réclamer leur vêtement.

Lorsque tous les invités eurent défilé, il ne restait plus qu'un long manteau de couleur bleue. Alice redescendit alors au rez-de-chaussée pour s'assurer qu'il n'y avait plus personne dans les salons.

« Tout le monde est parti, annonça-t-elle en regagnant le vestiaire. Nous ne verrons donc pas la propriétaire de ce vêtement... Aussi, suis-je de plus en plus persuadée que c'était elle la voleuse ! »

Alice s'empara du manteau bleu et, tout en l'examinant, glissa sa main dans les poches. La première ne contenait qu'un poudrier, mais dans l'autre se trouvait une cagoule de velours noir !

« Je vais emporter tout cela au commissariat », déclara l'inspectrice, ramassant la cagoule et le vêtement.

Alice venait de rentrer chez elle quand elle reçut un coup de téléphone de Linda Sedley. Celle-ci s'excusa de n'avoir pu se trouver chez Mme Linnell, comme convenu.

« C'est la faute de M. Tombar, dit-elle. Au dernier moment, il m'a chargée de faire une course et il s'est rendu boulevard des Érables à ma place. J'ai l'impression qu'il ne me croyait pas capable de tenir mon rôle. »

Alice fit alors remarquer qu'en dépit de la présence de M. Tombar, tout ne s'était pas passé pour le mieux, et elle raconta le vol dont l'hôtesse avait été victime.

La conversation terminée, Alice se perdit dans ses réflexions.

Tout à coup, elle eut une idée : « Je vais faire analyser l'encre dont on s'est servi pour inscrire cette série de chiffres que j'ai relevée sur la doublure de la cagoule ! »

Le lendemain matin, la jeune fille se rendit chez un chimiste qui examina l'inscription, puis pratiqua quelques essais. Après quoi, il déclara que l'encre utilisée était un produit nouveau, dont l'usage était strictement limité au marquage indélébile des tissus.

« Ainsi, n'importe quel teinturier serait susceptible d'en avoir chez lui ? demanda Alice.

— Je ne le crois pas, mademoiselle. Vous ne trouverez pas cette encre dans beaucoup d'entreprises de River City, car elle se vend encore très cher. »

Alice était fort intriguée. « Le produit en question serait-il utilisé chez Parnell ? » se demandait-elle. Résolue à en avoir le cœur net, elle rejoignit Linda à l'heure du déjeuner et questionna la jeune fille.

« Comment marquez-vous vos costumes et vos masques ? demanda-t-elle.

— Nous nous servons d'une encre spéciale qui résiste à tout, lavages et nettoyages..., répondit Linda.

— Pourrais-tu m'en procurer une bouteille ? Je te la rendrai.

— Attends-moi ici, fit alors Linda. Je vais essayer de me faufiler dans la réserve pour en prendre une pleine. »

Dix minutes plus tard, la jeune fille revenait avec une petite bouteille qu'elle avait enroulée dans une enveloppe à l'en-tête de la maison Parnell. À l'instant où elle la remettait à son amie, M. Tombar fit irruption dans la buvette.

Il était impossible qu'il eût aperçu ce que contenait le petit paquet, car Alice s'était empressée de le dissimuler dans son sac à main. Néanmoins, il dévisagea les deux jeunes filles d'un air soupçonneux et, voyant que la pauvre Linda perdait contenance, M. Tombar se dirigea droit vers elle.

« Mademoiselle, dit-il, le doigt tendu vers la

pendule accrochée au-dessus du comptoir, vous devriez être au magasin depuis cinq minutes.

— Excusez-moi, monsieur, je... j'allais justement partir...

— Vraiment ? J'avais plutôt l'impression que vous arriviez. D'ailleurs, je vous ai vue remettre...

— Allez-vous déjeuner ici, monsieur ? » coupa Alice.

M. Tombar lui lança un regard furibond, mais ne trouva pas un mot à répondre tandis que Linda profitait de cet instant de désarroi pour s'éclipser.

Dès que M. Tombar eut tourné les talons, Alice se hâta de retourner au laboratoire d'analyses. Elle remit la bouteille d'encre au chimiste et déclara qu'elle attendrait le résultat de l'examen. Finalement, on vint lui annoncer que le produit contenu dans la fiole était identique à celui utilisé pour inscrire les chiffres sur la doublure du masque !

« Ça y est : je suis sur la piste ! » faillit s'exclamer Alice. Et, au grand ébahissement du chimiste, elle partit en trombe.

Ce soir-là, quand James Roy rentra chez lui, sa fille le mit au courant du résultat de ses investigations.

« Cette fois, conclut-elle, je suis sûre que l'un des bandits se trouve chez Parnell. Si je pouvais seulement me faire engager pour quelques jours au Joyeux-Carnaval, je finirais bien par découvrir le pot aux roses...

— Pourquoi ne pas tenter ta chance ? suggéra l'avocat. Je suis sûr que M. Parnell n'y verrait aucun inconvénient. »

James Roy téléphona aussitôt au directeur du Joyeux-Carnaval, qu'il appela à son domicile personnel. La conversation ne dura que quelques instants et, raccrochant l'appareil, l'avocat se tourna vers sa fille.

« C'est entendu, annonça-t-il. M. Parnell s'est montré fort aimable. Nous sommes samedi, tu commenceras ton travail lundi matin.

— Bravo, papa, fit la jeune fille, enchantée. Je vais donc pouvoir surveiller les lieux d'un bout de la journée à l'autre ! »

Le lundi matin, Alice se présenta chez le costumier à neuf heures précises et nota avec amusement la mine maussade que prit M. Tombar en la voyant paraître.

« Comme si les affaires n'étaient pas déjà suffisamment mauvaises..., grommela-t-il. Il faut encore que l'on embauche du personnel ! »

La matinée s'écoula sans incident. Alice tria des lettres, puis elle se mit à classer des documents sur les origines et l'histoire des masques. Cependant, il lui fut impossible de profiter de la moindre occasion pour se faufiler dans le magasin aux costumes : à chaque fois, M. Tombar surgissait de son bureau à point nommé, comme pour l'en empêcher.

Aussi décida-t-elle de remettre à plus tard toute nouvelle tentative d'investigation. « Je vais attendre qu'il s'en aille déjeuner, songea-t-elle. Quant à moi, je me passerai de manger, ce qui me permettra de mettre à profit son absence pour tout explorer. »

Mais quand vint midi, M. Tombar rompit avec ses habitudes et ne quitta pas son bureau. À sa vive déception, la jeune fille l'aperçut qui dévorait ses sandwiches, assis à sa table.

« Voilà qui est un peu fort ! se dit-elle. Il a bien l'air décidé à ne pas bouger d'ici. »

Tout en mangeant, M. Tombar surveillait les allées et venues de ses employés par sa porte ouverte.

À mesure que l'après-midi s'avançait, Alice, penchée sur sa tâche fastidieuse, sentait la lassitude l'envahir. La faim lui tenaillait l'estomac. Le découragement la gagnait peu à peu.

À cinq heures, elle quitta le Joyeux-Carnaval sans avoir vu Linda de la journée... Quoi qu'il en fût, il était clair que M. Tombar avait deviné les véritables raisons de la présence d'Alice dans la maison Parnell.

Aussi Alice ne fut-elle aucunement surprise de recevoir le lendemain matin, à huit heures, un appel téléphonique affolé de son amie.

« Cette fois, ça y est ! lança Linda d'une voix tragique.

— Quoi, que se passe-t-il ? demanda Alice, épouvantée. Un nouveau cambriolage ?

— Non, répondit la jeune fille. Je n'ai plus de travail : M. Tombar m'a renvoyée ! »

Chapitre 13

Nouvelle ruse

Linda se mit alors à raconter comment elle avait été congédiée :

« Voici ce qui s'est passé : hier, en faisant l'inventaire de la réserve, M. Tombar s'est aperçu que l'une des bouteilles d'encre à marquer avait été ouverte. Et comme il en manquait un peu, il est entré dans une colère épouvantable. Ses soupçons se sont immédiatement portés sur moi...

— Tu ne lui as pas dit que tu m'avais prêté la bouteille ?

— Non, mais d'après les questions qu'il m'a posées, j'ai l'impression qu'il a deviné. Et il m'a bien fallu lui avouer que c'était moi qui avais pris la fiole sur l'étagère. Quand j'ai offert de rembourser le prix d'une pleine, il ne m'a même pas écoutée. Il m'a seulement dit qu'il me chassait.

— Écoute, Linda, ne te fais pas de souci, dit Alice. Repose-toi tranquillement pendant un jour ou deux, et puis je t'aiderai à reprendre ta place chez Parnell. Si cela est impossible, je t'en trouverai une autre meilleure et où il n'y aura pas de M. Tombar pour te tracasser.

— Oh ! Alice, comme je te remercie ! Jamais je n'oublierai ce que tu fais pour moi ! »

Malgré le ton insouciant qu'avait pris Alice pour réconforter son amie, elle était fort tourmentée par la nouvelle que celle-ci venait de lui annoncer. Jusqu'ici, Linda avait été pour elle une précieuse source de renseignements sur les activités du Joyeux-Carnaval et de son personnel. Il lui faudrait dorénavant s'en passer... Et pour comble de malheur, M. Parnell en personne téléphona quelques instants plus tard pour dire que, les bureaux de la maison étant en voie de réorganisation, il vaudrait peut-être mieux qu'Alice s'abstînt de revenir travailler...

« Je suis navrée, dit Alice. Mais pourrais-je vous demander l'autorisation de vous faire une petite visite de temps en temps ? Je désirerais justement vous entretenir de plusieurs sujets...

— Ce sera très volontiers, mademoiselle », répondit aimablement M. Parnell.

Cette conversation terminée, Alice réfléchit longuement à la tâche qu'elle avait entreprise. Jamais enquête ne lui avait donné autant de mal ni apporté autant de déceptions. Les difficultés semblaient aller croissant et, ce qui achevait de rendre la situation plus sombre encore, Marion Webb restait gravement ébranlée par l'épreuve dramatique qu'elle avait traversée.

Sur ces entrefaites, Sarah entra dans la pièce où se tenait Alice et celle-ci lui fit part de ses soucis.

« Marion m'inquiète de plus en plus, dit-elle. Elle ne cesse de se tourmenter. Elle a perdu son appétit, elle ne dort plus... Elle est hantée par l'affaire du gang au Masque de Velours : chaque fois que je la vois, elle me supplie d'abandonner mon enquête. C'est épouvantable, Sarah, et je me fais toutes sortes de reproches en la voyant dans cet état.

— Ses parents ont-ils consulté le médecin ?

— Oui.

— Et qu'a-t-il dit ?

— Qu'il s'agissait d'un choc nerveux.

— Moi, je me demande si ces bandits ne l'auraient pas par hasard menacée de quelque vengeance terrible.

— Cela expliquerait assez l'insistance qu'elle met à me demander de ne plus m'occuper d'eux », reconnut Alice.

Quand, un peu plus tard, la jeune fille sortit de chez elle, elle pensait encore à ce qu'avait suggéré Sarah. Décidée à se rendre au Joyeux-Carnaval, elle s'arrêta au passage chez son amie Marion. Elle trouva celle-ci en proie à ses mêmes angoisses, mais il y eut cependant une variante dans le récit qu'elle fit à sa visiteuse.

« J'ai eu cette nuit un cauchemar affreux, dit-elle. Tu étais au bord d'une falaise et je voyais tout à coup surgir un homme masqué qui te précipitait dans le vide... C'est un pressentiment, je t'assure ! Oh ! Alice, je t'en supplie, promets-moi de laisser ces bandits tranquilles ! »

C'est en vain qu'Alice multiplia ses efforts pour arracher son amie à sa tristesse, et quand elle prit congé en lançant un joyeux « au revoir », Marion se contenta de la regarder d'un œil morne, sans lui répondre.

« On ne peut pas laisser Marion dans cet état, se disait Alice en se dirigeant vers le Joyeux-Carnaval. Mais que faire ? Il n'y aurait qu'un seul remède : que je perce le mystère du gang au Masque de Velours ! »

M. Parnell reçut la jeune fille sur-le-champ. Tandis qu'elle lui demandait de bien vouloir reprendre Linda Sedley dans la maison, il l'écouta sans l'interrompre. Puis il secoua la tête et répondit :

« En ce qui concerne le personnel, je laisse à M. Tombar entière liberté. S'il a licencié Mlle Sedley, soyez sûre qu'il avait une excellente raison pour le faire. De plus, vous n'êtes pas sans savoir que l'on a des soupçons sur l'honnêteté de cette employée... Nous avons eu bon nombre d'occasions de penser qu'elle n'était pas étrangère à certains vols.

— Si je pouvais apporter la preuve de son innocence, reprendriez-vous cette jeune fille ? demanda Alice.

— Euh... oui... certainement. C'est-à-dire... à condition que M. Tombar y consente... »

Alice comprit alors combien il serait difficile à son amie de trouver un autre emploi : partout, l'on demanderait des références et elle n'en obtiendrait évidemment aucune du Joyeux-Carnaval...

Alice fit rapidement le tour de la situation.

Soudain, il lui vint une idée : « Si j'essayais d'obtenir une invitation à la réception du 26 juin... Cette date figure parmi celles inscrites à l'intérieur du masque... »

Et elle reprit, s'adressant à M. Parnell :

« Vous savez sans doute que j'essaie d'aider mon père à résoudre l'énigme de ces vols commis récemment à River City ?

— En effet.

— J'aimerais beaucoup assister à cette conférence du 26 juin chez les Davis : pourrais-je y être invitée ? » demanda-t-elle.

M. Parnell accéda volontiers à la requête et il fixa aussitôt rendez-vous à la jeune fille pour le jour dit.

« Je vous retrouverai à sept heures et demie, dans le vestibule des hôtes, dit-il. Cette fois-ci, j'ai décidé de m'occuper de la réception moi-même : il est temps que je voie d'un peu près comment les choses se passent...

— M. Tombar ne viendra pas ?

— Non, répliqua M. Parnell. Il en est d'ailleurs fort contrarié. Mais ceci est une autre histoire. »

La suite de la conversation devait révéler à Alice que M. Tombar avait encore un autre sujet d'amertume, le directeur du Joyeux-Carnaval l'ayant prié de consacrer chaque jour moins de temps à son déjeuner.

Revenant au sujet de la conférence prévue pour le 26 juin, Alice suggéra à M. Parnell de prendre une précaution supplémentaire : il suffirait de marquer d'un signe particulier les cartes d'entrée destinées aux personnes ayant accepté l'invitation de Mme Davis. De cette façon, il serait impossible aux intrus d'être admis à la réception. M. Parnell accepta d'emblée la proposition de sa visiteuse.

« J'ai justement ici la liste des invités, dit-il. Les noms des gens qui n'ont pas répondu y sont déjà barrés. Il n'y a plus à présent qu'à envoyer les cartes. Voulez-vous que nous les préparions ensemble ? »

Alice et M. Parnell se mirent à la besogne. Ils tracèrent, à l'envers de chaque carte, un paraphe à l'encre. Quand la tâche fut terminée, la jeune fille regarda le directeur du Joyeux-Carnaval bien en face et lui dit :

« Il est absolument indispensable que personne ne soit mis au courant de ce que nous venons de faire. N'en parlez ni à votre secrétaire, ni même à M. Tombar.

— Je suis sûr de l'une comme de l'autre, objecta M. Parnell.

— Tout de même, je préférerais que ceci restât entre vous et moi.

— Très bien, dit M. Parnell, il en sera donc ainsi que vous le désirez. En outre, je vérifierai moi-même les cartes à l'entrée. »

Le lendemain, Alice se présenta aux magasins Morris afin de demander à M. Johnson où en était le contrôle effectué sur les marques de crédit. Elle apprit que l'opération de retrait était en cours.

« Je vous aviserai du résultat que nous obtiendrons, promit M. Johnson. Mais je doute fort qu'il puisse être tel que vous l'espérez... »

À la suite de cette entrevue, Alice eut une longue conversation avec son père. Celui-ci révéla qu'il avait finalement accepté de défendre les intérêts de M. Parnell au cours des procès que devaient lui intenter ses anciens clients.

« Ce sont les renseignements que tu m'as apportés qui m'ont convaincu de l'entière bonne foi du directeur du Joyeux-Carnaval, déclara James Roy à sa fille. Mais il se refuse absolument à admettre que les bandits puissent avoir des complices parmi son personnel...

— Mon Dieu, fit Alice en soupirant, si je pouvais seulement découvrir quelque chose d'intéressant !... Je ne sais pas ce qui me retient d'aller demander tout de suite à la police de prendre M. Tombar en filature... Mais je n'oublie pas les leçons que tu m'as données, papa : tu n'as jamais cessé de me recommander la prudence. »

Le lendemain était le 26 juin. Alice se présenta chez Mme Davis à l'heure dite. La journée avait été maussade, et toutes les lumières étaient déjà allumées dans la maison. Contrairement à ce qu'avait escompté la jeune fille, M. Parnell était flanqué de son collaborateur, l'inévitable M. Tombar.

« Je n'avais nul besoin de lui, confia le directeur à Alice, mais il a beaucoup insisté pour venir, prétendant que je rencontrerais d'extrêmes difficultés à surveiller une foule de détails dont je n'ai plus l'habitude... »

Mais Alice n'écoutait plus les paroles de M. Parnell. Elle songeait que, de toute évidence, M. Tombar avait ses raisons pour tenir ainsi à se trouver chez Mme Davis. Pour l'instant, il s'affairait parmi les domestiques qui plaçaient les chaises dans le salon.

Soudain, il se mit à invectiver une jeune femme qui déplaçait une rangée de chaises.

« Non, non, pas comme cela ! cria-t-il. Je vous défends de toucher à ces sièges ! C'est moi qui les ai mis là où ils sont ! »

Alice observait la scène avec une surprise mêlée d'indignation, car il se trouvait que la personne interpellée n'appartenait pas au personnel du Joyeux-Carnaval. C'était en effet la propre femme de chambre de Mme Davis, et M. Tombar n'avait donc aucune qualité pour la traiter avec tant de rudesse.

Mais sans doute l'homme avait-il deviné les pensées d'Alice, car, se tournant brusquement vers elle, il l'apostropha avec rage.

« Il faut donc toujours que vous soyez dans mes jambes ! s'écria-t-il, les yeux flamboyants. Mêlez-vous de ce qui vous regarde, tout n'en ira que mieux ! »

Une bouffée de colère monta au visage de la jeune fille, qui, cependant, tourna les talons sans mot dire. Puis elle s'en alla rejoindre M. Parnell.

Celui-ci s'était posté à l'entrée où il vérifiait scrupuleusement chacune des cartes qu'on lui présentait.

« Tout va bien, murmura M. Parnell. On m'a déjà remis environ les deux tiers des cartes, toutes authentiques. »

À cet instant, Alice aperçut au-dehors un individu qui semblait rôder autour des automobiles garées dans le parc de la propriété. Elle alerta aussitôt M. Parnell.

« Pas la peine de vous inquiéter, répondit celui-ci. C'est un détective privé que j'ai engagé pour la soirée. En ce moment, il garde les voitures, mais dès que la conférence aura commencé, il viendra me rejoindre ici, et, à nous deux, nous surveillerons la maison. »

Peu après, quand le conférencier fit son entrée dans la salle, un certain nombre de cartes manquaient encore. Aussi M. Parnell demeura-t-il à son poste afin d'accueillir les retardataires.

« On dirait, ma foi, que l'homme au Masque de Velours et ses acolytes n'ont pas l'intention de se manifester ce soir, fit remarquer Alice à M. Parnell. Pourtant, comme je tiens à être sûre que personne ne rôde aux alentours, je vais aller me promener un peu dans le parc... »

Elle contourna la maison et observa avec satisfaction que les fenêtres du premier étage se trouvaient à une telle hauteur qu'il était impossible de les escalader. Quant à les utiliser pour s'enfuir, c'était une entreprise à se rompre le cou !

Enfin Alice se dirigea vers le coin du parc réservé aux voitures des invités. La jeune fille s'avançait avec précaution quand elle faillit buter contre le corps d'un homme étendu sur le sol, presque sous les roues d'un coupé noir grand sport.

« Mon Dieu, songea-t-elle, il a dû être pris d'un malaise ! »

Et elle se précipita vers lui. Mais lorsqu'elle se baissa, elle comprit au premier coup d'œil qu'elle s'était trompée : l'inconnu avait été victime d'une agression !

En un instant, mille suppositions affluèrent à l'esprit d'Alice qui cependant n'eut pas le loisir de s'y attarder : brusquement, toutes les fenêtres de la maison de Mme Davis venaient de s'éteindre !

Chapitre 14

Une étrange coïncidence

Alice ne songea pas une seconde à abandonner le malheureux qu'elle venait de découvrir. Et pourtant, que n'eût-elle pas donné pour courir jusqu'à la maison, maintenant plongée dans l'obscurité ! Elle était sûre qu'un nouveau cambriolage était en train de s'y dérouler...

Tandis qu'elle cherchait à ranimer l'inconnu, les vêtements de celui-ci parurent imprégnés d'une odeur étrange, un peu douceâtre. Tout de suite, elle songea aux circonstances de l'enlèvement de Marion.

Cependant, Alice s'était mise à crier au secours, de toute sa voix, dans l'espoir de donner l'alarme à M. Parnell. Un temps s'écoula, qui lui parut interminable, et puis, soudain, les lumières se rallumèrent.

« Si quelqu'un venait seulement à passer par

ici ! se disait Alice, consternée. Les bandits sont certainement en train de prendre le large, à cette minute même ! »

Mais les instants passèrent et elle ne vit personne.

Alors la jeune fille commença à frictionner énergiquement les paumes et les poignets de l'inconnu, et eut enfin la satisfaction de lui voir reprendre ses sens. Il ouvrit les yeux, regarda Alice avec une expression égarée.

« Où suis-je ? Que m'est-il arrivé ? bredouilla-t-il.

— Vous êtes dans le parc des Davis, à côté de votre voiture », répondit-elle. Et, aidant l'inconnu à s'asseoir, elle lui demanda : « Vous rappelez-vous ce qui s'est passé ?

— C'est en train de me revenir », murmura-t-il. Il se passa la main sur les yeux et poursuivit d'une voix incertaine : « J'étais descendu, j'allais fermer ma portière... on m'a donné un grand coup sur la tête... et puis, je me suis senti tomber... après, je ne sais plus.

— Votre portefeuille ? Où est-il ? » reprit Alice.

L'homme fouilla ses poches.

« Je ne l'ai plus, constata-t-il. On m'a dévalisé. »

Sur ce, l'inconnu déclina son nom — George Brunner — et apprit à Alice qu'il était venu seul. La jeune fille se présenta à son tour.

Puis elle aida l'homme à se relever, et elle le

conduisit jusqu'à la maison. Là, elle s'empressa de le confier aux soins de deux femmes de chambre qui ne parurent pas s'étonner outre mesure de ce qu'elles considéraient de toute évidence comme un simple accident. Cependant, le calme qui régnait dans la demeure surprit tellement Alice qu'elle se demanda un instant si elle ne s'était pas trompée en soupçonnant un cambriolage.

Elle se mit immédiatement à la recherche de M. Parnell et lui confia ses craintes.

Aussitôt, on se livra dans la maison à une rapide enquête dont le résultat fut édifiant : plusieurs pièces d'argenterie avaient disparu ainsi que des statuettes d'ivoire et des bijoux...

M. Parnell fut consterné.

« Quel désastre, cette affaire achèvera de me ruiner ! confia-t-il à Alice. Que vais-je pouvoir faire à présent ? Je suis un homme perdu !

— Mais non, voyons, il ne faut pas vous décourager ainsi », dit la jeune fille. Puis elle ajouta, sur un ton de feinte indifférence : « Tiens, où donc est M. Tombar ?

— Je ne l'ai pas vu. Il doit être en train de fouiller le parc et la maison, à la recherche des voleurs ! »

Alice décida de s'en assurer par elle-même. Elle parcourut toute la demeure, pièce par pièce, et finit par découvrir M. Tombar dans la cuisine, occupé à tancer vertement son personnel.

« Le service est trop lent, vous marchez tous

comme des tortues ! clamait-il. Il ne faut pas vous imaginer que Mme Davis et ses invités vont passer la nuit à attendre votre bon plaisir ! »

Alice écouta patiemment, puis, lorsque M. Tombar en eut terminé, elle s'approcha, l'air indifférent, et se mit à lui parler du vol qui venait d'être commis.

« Moi, j'étais dehors, commença-t-elle, volubile, et je ne me suis aperçue de rien. Autrement, quelle peur j'aurais eue !... Je suis sûre que vous avez eu une belle émotion, n'est-ce pas ?

— Pas du tout, répondit M. Tombar sèchement.

— Comme c'est drôle ! fit Alice. Serait-ce parce que vous n'avez rien vu, vous non plus ?

— Dites donc, riposta l'homme d'un ton brutal, pour qui vous prenez-vous ? Je vous dispense de vos questions et, d'ailleurs, je n'ai pas le temps de tenir des discours ! »

Sur ces mots, il tourna les talons, et sortit, claquant derrière lui la porte de la cuisine.

Dans l'intervalle, la police était arrivée sur les lieux. Alice accompagna les inspecteurs, assista à leurs premières investigations. Les cambrioleurs avaient opéré de la même manière qu'à l'habitude, et cette fois encore personne n'avait rien vu, rien entendu...

« Jamais ces bandits-là ne se laisseront prendre si l'on se contente d'employer les moyens ordinaires », songeait Alice tandis qu'un peu plus tard elle roulait sur la route qui menait chez elle.

M. Tombar était aussi l'un des sujets de méditation qui ne cessaient de hanter l'esprit de la jeune fille. Bien que sa conscience professionnelle fût indéniable, son comportement étrange autorisait les pires soupçons.

« C'est plus fort que moi, se disait Alice. Je n'ai pas confiance en lui... Ah ! si je pouvais aller à cette réception de samedi ; 28 juin : c'est la seconde des dates indiquées sur le masque... Mais il n'y faut pas compter, puisque je suis déjà invitée avec Ned chez les parents de Fanny Sanders. Il est trop tard pour que je songe à décommander, et puis jamais Ned ne me pardonnerait de lui faire ainsi faux bond ! »

Le lendemain matin, Alice dégustait son petit déjeuner en réfléchissant à de nouveaux plans d'action lorsque survint son amie Bess. Celle-ci avait le visage grave.

« Que se passe-t-il ? demanda Alice. Tu n'as pas l'habitude d'être aussi matinale...

— Il s'agit de Marion. Elle est couchée depuis hier. Le médecin dit que ce sont toujours les suites du choc qu'elle a reçu l'autre jour. Mais, à mon avis, il y a autre chose : c'est qu'elle a peur, peur à s'en rendre malade... Je n'y comprends rien : on dirait qu'elle est envoûtée... Il faudrait que tu essaies de lui parler : elle se tourmente surtout à cause de toi. »

Lorsque les deux amies arrivèrent chez Marion, elles trouvèrent celle-ci assise dans son lit, un plateau devant elle.

« Qu'est-il arrivé hier soir chez les Davis ? questionna anxieusement Marion. J'ai lu ce qu'on disait dans le journal. Je suis sûre que tu étais là-bas, Alice.

— En effet.

— Et moi qui t'avais suppliée de renoncer à cette maudite affaire ! » s'écria soudain la jeune fille avec violence. Et elle poursuivit d'une voix que les sanglots étouffaient : « Tu ne sais pas ce que sont ces horribles gens auxquels tu veux t'en prendre... Ils sont capables de tout, tu entends, de tout ! »

Alice et Bess s'efforcèrent de calmer leur amie.

Puis elles se retirèrent, fort inquiètes.

« J'ai l'impression que le seul fait de me voir suffit à mettre cette pauvre Marion dans tous ses états, observa Alice.

— Il faut absolument que nous évitions de parler de ton enquête en sa présence », dit Bess.

Alice soupira.

« C'est toujours elle qui y revient la première, murmura-t-elle. Quelle chose terrible, Bess, que de ne plus reconnaître une amie : il semble qu'on soit sur le point de la perdre à jamais...

— Je sais... Et je me demande que faire. Peut-être vaudrait-il mieux abandonner cette

enquête, ainsi que le souhaite Marion, ou du moins faire semblant... Cela la tranquilliserait.

— Entendu, Bess ; je vais suivre ton conseil, Marion ne s'apercevra de rien, promit Alice. Et maintenant, il faut que je passe chez Morris faire quelques achats. Tu viens avec moi ? »

Alice fit emplette d'un tablier et d'une blouse pour Sarah, puis elle se présenta chez M. Johnson et lui demanda où en était le retrait des marques.

« Elles ne rentrent pas vite, dit-il. Nous n'avons guère le temps de les réclamer aux retardataires... Mais je vous tiendrai au courant... »

Alice était très déçue de l'indifférence manifestée par M. Johnson et elle ne put cacher à Bess son amertume.

« C'est incompréhensible, dit-elle. On dirait que cet homme ne se soucie nullement de savoir s'il y a un voleur parmi son personnel... »

En traversant le rayon de la bijouterie, les deux amies reconnurent une de leurs anciennes compagnes de classe, Norma Thompson. Celle-ci venait d'entrer chez Morris comme vendeuse. Les jeunes filles bavardèrent quelques instants, puis Alice demanda à Norma si elle avait remis sa marque au service du crédit ainsi que l'avait ordonné la direction du magasin.

« Ma foi non, répondit Norma. J'allais le faire quand il est arrivé une seconde note annulant la première... »

À ces mots, Alice bondit.

« Comment ! s'écria-t-elle. Sais-tu pourquoi ?

— Pas du tout. On nous disait seulement qu'il n'était plus nécessaire de rendre les marques.

— Voici donc pourquoi il en est rentré si peu », fit Alice entre ses dents.

Curieuse d'apprendre la vérité, elle retourna sur-le-champ chez le directeur du service de crédit, suivie de Bess. M. Johnson n'était pas à son bureau, mais sa secrétaire assura aux visiteuses que le contrordre ne venait pas de lui.

Les jeunes filles flânèrent encore un bon moment dans le magasin, puis Bess décida de retourner à la bijouterie dans l'espoir d'y trouver l'idée d'un cadeau pour l'anniversaire de sa mère.

« Justement, j'ai reçu ce matin tout un choix de broches anciennes, dit Norma. Il y a entre autres une miniature ravissante. Je vais te la montrer.

— J'ai bien peur qu'elle ne soit trop chère pour moi, objecta Bess.

— Non, pas celle-ci », répondit Norma. Et elle ajouta avec un sourire : « Le prix est, à mon avis, ridicule. J'ai été médusée en voyant l'étiquette. D'ailleurs, tu vas en juger... »

La vendeuse guida ses amies vers un autre comptoir sur lequel était exposé un assortiment de bijoux d'un prix abordable. Parmi eux, se trouvait une miniature sur ivoire de la reine Marie-Antoinette.

Alice sentit brusquement le souffle lui manquer. Cette broche ressemblait exactement à celle que l'on avait volée chez les parents de Gloria Harwick !

« C'est impossible, se dit-elle, tout étourdie par la surprise. Ce ne peut être qu'une réplique... Pourtant, si c'était une copie, on ne verrait pas ces petites égratignures sur le cercle d'or de la monture ! »

Et soudain, sûre d'elle, Alice lança d'une voix triomphante :

« Bess ! cette miniature a été volée chez les Harwick ! »

Chapitre 15

Alice mène l'enquête

Abasourdie par ce qu'elle venait d'entendre, Norma questionna Alice.

« Comment peux-tu savoir que cette broche a été volée ? » demanda-t-elle.

Tout en examinant minutieusement le bijou, Alice et Bess expliquèrent à leur camarade qu'elles avaient eu l'occasion de remarquer cette même miniature chez les Harwick peu d'instants avant le cambriolage.

« Mais il est impossible que les administrateurs du magasin aient accepté d'écouler une marchandise volée, objecta Norma.

— Évidemment. Cela n'a pu se faire qu'à leur insu », reconnut Alice.

Autre sujet d'étonnement pour les trois jeunes filles, le prix marqué était manifestement très inférieur à la valeur réelle du bijou, même en admettant que celui-ci fût une simple copie de l'original.

Alice acheta aussitôt la miniature, bien résolue à découvrir s'il s'agissait de celle dérobée à *Bellevue* chez les Harwick.

« En as-tu d'autres dans ce genre-là ? demanda-t-elle à Norma.

— Je sais qu'il est arrivé un gros réassortiment, mais tout n'a pas encore été déballé, répondit la jeune fille. Je vais me renseigner auprès de M. Watkins. C'est mon chef de rayon. »

Dès qu'il vit la broche que la vendeuse s'apprêtait à remettre à Alice, M. Watkins jeta un coup d'œil surpris sur l'étiquette.

« Il y a une erreur, cet article n'est pas à son prix, déclara-t-il. Il ne saurait évidemment être question pour le magasin de revenir sur l'achat que vous venez de faire, mademoiselle, mais nous allons devoir procéder à la vérification de nos factures avant de mettre le reste de cet envoi à la vente.

— Se trouve-t-il d'autres miniatures dans le lot dont vous parlez ? questionna Alice. Si cela était possible, je serais heureuse de les voir...

— Nous allons nous en assurer immédiatement, répondit le chef de rayon. Si vous voulez bien me suivre jusqu'à la réserve... »

M. Watkins guida les deux jeunes filles vers une annexe du magasin, vaste bâtiment réservé aux arrivages.

« Snecker ! appela M. Watkins. Snecker ! Où diable êtes-vous ? »

À ce moment, un jeune homme passa la tête à la porte du bureau qui communiquait avec la remise.

« Il n'est pas là, monsieur, dit-il. Il a pris sa journée.

— Encore ! » s'exclama M. Watkins avec humeur.

Se tournant alors vers les jeunes filles, il leur expliqua que Robert Snecker était chargé d'ouvrir les caisses et d'en vérifier le contenu. Il devait ensuite procéder à l'étiquetage des articles destinés à la vente.

« En admettant qu'une erreur ait été commise sur le prix de la broche, ce serait donc M. Snecker le responsable ? demanda Alice.

— Parfaitement, mademoiselle. Je vais vérifier la facture », ajouta-t-il.

Alice et Bess attendirent patiemment.

« C'est étrange, dit bientôt M. Watkins. Je ne réussis pas à découvrir la facture d'achat correspondant à cette miniature. Pas la moindre trace non plus sur le registre d'entrée des marchandises. Je suis pourtant certain que nous avons eu récemment un petit arrivage d'articles importés... »

Il questionna le jeune employé qui l'avait déjà renseigné auparavant, mais celui-ci ne put lui fournir aucun éclaircissement.

« C'est bon, je verrai Snecker demain, déclara M. Watkins.

— M. Snecker travaille-t-il chez vous depuis longtemps ? s'enquit Alice.

— Non, il est entré assez récemment, répondit le chef de rayon. Mais il nous donne entière satisfaction. Le seul reproche que nous puissions lui faire, c'est de s'absenter trop souvent. Il demande à chaque instant une journée de congé. Tantôt, il est malade, tantôt il est invité à une partie de pêche... Et il n'a pas plus tôt quitté le magasin qu'il s'en va à la campagne. »

Tout en parlant, M. Watkins continuait à feuilleter une série de papiers enliassés dans un classeur.

« Ah ! le démon de la pêche à la ligne le tient bien, je vous assure..., reprit-il. Dès qu'il a une heure de liberté, il la passe au bord de la rivière, hiver comme été, qu'il pleuve, qu'il neige ou qu'il vente ! »

Alice écoutait ces détails avec surprise.

« Voilà qui est étrange ! se disait-elle. Comment M. Snecker peut-il conserver son emploi dans des conditions pareilles ? »

Et elle décida de revenir au magasin le lendemain afin de questionner M. Snecker.

Puis, toujours escortée de son amie Bess, elle se rendit à *Bellevue*, chez Mme Harwick. Celle-ci et sa fille Gloria n'eurent pas la moindre peine à reconnaître la miniature.

« C'est inconcevable ! s'écria Mme Harwick avec indignation. Qui eût jamais pu penser que l'on vendait chez Morris des marchandises volées ? Je vais aviser la police sur-le-champ !

— Si vous y tenez vraiment, faites-le..., dit Alice. Mais je suis persuadée que les directeurs du magasin n'ont rien à se reprocher dans cette histoire, et j'aimerais assez tirer l'affaire au clair moi-même. Si la police s'en mêle, cela peut m'empêcher de relever certains détails d'une importance capitale pour la suite de l'enquête.

— Oh ! maman, je t'en prie, écoute Alice, renchérit Gloria. Il faut la laisser faire : c'est elle qui a retrouvé la miniature ! »

Mme Harwick ne put s'empêcher de sourire.

« J'attendrai quelques jours avant d'informer qui que ce soit de tout ceci, décida-t-elle. Ainsi, vous aurez le temps d'interviewer ce M. Snecker.

— Je vous remercie, madame », dit la jeune fille.

Le lendemain matin, Alice se présenta au magasin Morris de bonne heure. Ce fut, hélas ! pour y apprendre que M. Snecker venait de téléphoner qu'il était encore trop souffrant pour assurer son service.

« Je parie qu'il est à la pêche, grommela M. Watkins. Cela devient inadmissible ! »

Au cours de la brève conversation qu'elle eut

avec le chef de rayon, Alice réussit à obtenir deux renseignements d'importance.

Elle apprit tout d'abord que le contrordre annulant la note par laquelle il était demandé au personnel de restituer les marques de crédit ne portait aucune signature. Cela accrut encore les soupçons d'Alice.

« Savez-vous où demeure M. Snecker ? demanda-t-elle ensuite à M. Watkins.

— Je vais vous le dire », répondit-il. Et, consultant un registre, il annonça : « Rue des Tanneurs, au numéro 24... »

Alice remercia M. Watkins pour son obligeance et quitta le magasin.

« À présent, se disait-elle, marchant d'un pas résolu vers sa voiture, il faut absolument que je tire quelque chose de ce M. Snecker. »

Elle démarra, et s'engagea bientôt dans un lacis de ruelles misérables, que bordaient des maisons aux façades lépreuses. Elle finit par atteindre la rue des Tanneurs.

Au numéro 24, se dressait une bâtisse de briques rouges, à quatre étages, d'aspect crasseux et délabré.

Alice dépassa la maison, dans l'intention de se ranger à quelque distance. Elle venait de s'arrêter quand une voiture qui était garée en face du numéro 24 démarra et fila à vive allure.

« Tiens, se dit machinalement la jeune fille, où ai-je vu cette auto ? »

Soudain, son cœur se mit à battre à grands coups : ce cabriolet vert avec sa carrosserie et ses roues maculées de boue lui rappelait un souvenir précis.

« C'est M. Tombar ! s'écria-t-elle. Et il sortait sûrement de chez Snecker... »

Chapitre 16

En visite

Alice faillit s'élancer à la poursuite de M. Tombar, mais elle renonça aussitôt à ce projet pour se rendre chez M. Snecker.

Cependant elle avait eu la présence d'esprit de relever le numéro d'immatriculation du cabriolet vert, et se hâta de l'inscrire sur son agenda. Puis elle se dirigea vers la maison de briques. Elle pressa le bouton de sonnette. Quelques instants plus tard, une voix criarde retentit dans le tuyau acoustique qui aboutissait à côté de la plaque marquée : *Snecker*.

« Qui est là ? demanda-t-on.

— Je viens de chez Morris, répondit la jeune fille, résolue à ne pas s'annoncer d'une manière plus explicite.

— Allons bon, c'est au moins une commissionnaire ! s'exclama la voix, qui semblait trahir une surexcitation extrême. Attendez-moi : je descends. »

Alice pénétra dans le vestibule qui était commun aux différents locataires.

Au bout d'un moment, une femme parut, essoufflée. Elle était grande et forte, avec un menton volontaire et un regard bleu filtrant entre des paupières étroites.

« Vous êtes bien Mme Snecker ? demanda Alice.

— Oui, ma foi, répliqua la locataire, observant sa visiteuse avec défiance. Alors, c'est le magasin qui vous envoie ?

— Je suis venue prendre des nouvelles de votre mari. On s'inquiète de son absence.

— Il est encore malade.

— Je suis navrée... Rien de sérieux, j'espère ?

— Il est au lit avec une crise d'asthme. Aussi, j'ai beau lui dire... S'il ne traînait pas tout le temps à la rivière, ça ne lui arriverait pas ! Le médecin lui a bien donné des drogues à prendre... mais, dame, ça coûte, et quand on n'a guère d'argent... »

La tirade de Mme Snecker fut brusquement interrompue par une apostrophe retentissante qui semblait venir du haut de l'escalier conduisant au premier étage :

« Florence ! Florence ! Viens ici ! »

La femme leva les bras au ciel.

« Ça y est, le voilà encore qui m'appelle,

s'écria-t-elle, hors d'elle. Vous n'avez pas idée de ce qu'il peut être embêtant quand il est malade ! Toujours en train de se plaindre ! Sauf quand il travaille : là, ça va encore... Enfin, y en a plus pour bien longtemps à présent : on va pas tarder à quitter ce sale quartier.

— Vous avez trouvé un appartement plus agréable ? questionna Alice.

— Je comprends ! Et cette fois, ce ne sera pas rien..., affirma Mme Snecker, prenant une mine satisfaite.

— Pourtant, vous me disiez tout à l'heure que votre mari ne gagnait pas tellement...

— Au magasin, bien sûr ! Mais il a trouvé un petit à-côté... » Et, disant ces mots, la femme se pencha vers Alice pour ajouter, à voix plus basse : « Bob et moi, on sera bientôt comme des coqs en pâte et je vous garantis qu'on fera envie à plus d'un, nous aussi !

— Comme vos amis les Tombar ? demanda Alice.

— Parfaitement ! Et croyez-moi... »

La femme s'arrêta net et fixa sur son interlocutrice un regard soupçonneux, songeant, mais un peu tard, qu'elle avait sans doute eu tort d'être aussi bavarde.

Sans ajouter un mot, elle claqua la porte au nez de la visiteuse, et celle-ci l'entendit remonter l'escalier en toute hâte.

« J'aurais pourtant bien voulu voir M. Snecker, se disait la jeune fille en regagnant sa voiture quelques instants plus tard. Bah ! je n'ai déjà pas si mal réussi, puisque je sais à présent que M. Tombar est de ses amis ! »

Le lendemain, qui était un dimanche, se passa dans le calme. Quand vint le lundi matin, Alice décida de rendre visite à M. Parnell. Elle le trouva achevant de dicter une lettre à sa secrétaire et de fort belle humeur.

« La réception de samedi s'est déroulée sans le moindre incident, annonça-t-il à la jeune fille, le visage rayonnant. Pas la moindre tentative de cambriolage, cette fois ! »

Alice exprima sa satisfaction, mais fit néanmoins quelques réserves.

« Cela ne prouve pas encore que les bandits aient décidé de cesser toute activité, observa-t-elle. Ils savent que la police est maintenant sur leurs traces, aussi ne serais-je pas surprise qu'ils eussent décidé de se terrer pendant quelque temps.

— Hélas ! vous avez sans doute raison », convint M. Parnell. Et il ajouta en soupirant : « De mon côté, j'ai hâte de récupérer les costumes et les masques que l'on m'a volés. »

La conversation s'orienta aussitôt sur le sujet favori de M. Parnell.

Profitant d'un instant de répit, Alice prit la parole.

« Je crois que Linda Sedley était fort au courant de la question des masques, n'est-ce pas ? dit-elle.

— Ma foi, oui, je l'avoue.

— Alors, pourquoi ne la reprendriez-vous pas ? »

M. Parnell fronça les sourcils.

« Il faudrait que vous en parliez à M. Tombar, répondit-il. Cette affaire le regarde entièrement.

— Me permettez-vous d'aborder le sujet avec lui ?

— Bien sûr. Mais je ne pense pas que cela vous mène très loin... »

Alice partageait l'opinion de M. Parnell. Cependant, elle tenait à tenter sa chance. Aussi se mit-elle à la recherche de M. Tombar.

« Il est occupé, déclara la secrétaire à laquelle s'adressa la jeune fille.

— Très bien, j'attendrai », décida Alice.

À travers la porte fermée, parvenaient les échos d'une discussion véhémente, et il eût été impossible à Alice de ne pas reconnaître les furieux éclats de voix de M. Tombar.

« Non, je n'en ferai rien ! vociféra-t-il. Inutile de chercher à me convaincre. Cette fois, c'est fini, vous entendez ! »

La réponse du visiteur, proférée d'une voix imperceptible, échappa complètement à la jeune fille. Mais la réplique de M. Tombar fut un véritable hurlement de rage :

« Sortez, Harris ! Sortez, si vous ne voulez pas que je vous jette dehors ! »

Brusquement, la porte s'ouvrit, et M. Harris sortit en trombe. C'est à peine si Alice eut le temps de distinguer ses traits : M. Tombar surgit devant elle, au comble de la fureur. Son visage congestionné semblait prêt à éclater.

« Encore vous ! cria-t-il à tue-tête, brandissant son poing sous le nez d'Alice éberluée. Et voilà que, par-dessus le marché, vous écoutez aux portes, vous m'espionnez ! Mais je ne me laisserai pas faire ! »

Chapitre 17

L'auberge de l'Iris-Bleu

Alice conserva son sang-froid.

« Vous espionner, moi ? fit-elle. Je ne comprends vraiment pas ce que vous voulez dire.

— Petite peste ! riposta l'homme. Je vous trouve toujours dans mes jambes ! »

La jeune fille sourit sans répondre.

« Eh bien, puisque vous êtes si curieuse, continua-t-il, je vais vous dire pourquoi M. Harris était là tout à l'heure. Il cherche à me vendre une concession à perpétuité au cimetière de River City, et je n'en veux pas... C'est tout. »

Bien que persuadée qu'il s'agissait là d'un mensonge, la visiteuse feignit d'accepter l'explication.

« On n'aime guère penser à la mort, observa-t-elle, mais c'est parfois nécessaire...

— Oui, sans doute..., reprit M. Tombar, commençant à se radoucir... En fin de compte, mademoiselle, que désirez-vous ? »

Alice exposa alors le but de sa visite et s'efforça de plaider la cause de Linda.

« Je suis sûre de son innocence, dit-elle, et je...

— Rien à faire, trancha M. Tombar. Je n'ai pas confiance en elle. »

À cet instant, la sonnerie du téléphone retentit et M. Tombar revint à son bureau pour répondre. Il se mit aussitôt à parler bas. Cependant un mot frappa l'oreille d'Alice. C'était un prénom : Florence... Tout de suite, des suppositions s'échafaudèrent dans l'esprit de la jeune fille...

Soudain, M. Tombar reposa violemment le récepteur sur l'appareil et, faisant volte-face, aperçut la jeune fille qui, sur le seuil du bureau, semblait tendre l'oreille. Alors, fou de rage, il marcha sur elle, serrant les poings.

« Encore en train de m'espionner ! Je m'en doutais ! hurla-t-il. Mais cette fois... »

Il s'arrêta net, le visage convulsé, le regard portant au-delà d'Alice. Celle-ci se retourna. Derrière elle, se tenait M. Parnell qui considérait son collaborateur d'un œil courroucé.

« Que signifie tout ceci ? demanda-t-il sévèrement. Je vous invite à vous expliquer, Tombar.

— Je suis désolé, monsieur. Pardonnez-moi... je ne me suis pas rendu compte... »

Alice s'esquiva dans l'antichambre afin de

laisser les deux hommes en tête à tête, mais comme ni l'un ni l'autre ne se préoccupa de fermer la porte, elle put tout entendre.

« Écoutez-moi bien, Tombar, commença M. Parnell, je vous ai laissé depuis quelques mois l'entière responsabilité de la conduite des affaires, ainsi que vous me l'aviez d'ailleurs demandé. Je vous ai également abandonné la surveillance du personnel. Or, vous avez licencié Mlle Sedley sans m'en avertir et sachant pertinemment que j'appréciais ses services... Depuis, les choses ne vont pas mieux, au contraire... Et à présent, voici que je vous surprends en train de menacer Mlle Roy, la fille d'un de mes excellents amis ! Cette fois, la mesure est comble.

— Je vous présente mes excuses, monsieur.

— Je les accepte, répliqua M. Parnell. En même temps que votre démission.

— Ma démission..., répéta M. Tombar, incrédule. Mais c'est impossible, vous ne pouvez pas me renvoyer ainsi !

— J'ai parfaitement le droit de vous licencier et je m'en sers, précisa le directeur froidement. Avant de partir, vous passerez à la comptabilité vous faire régler. Je n'ai rien de plus à vous dire. »

Sur ce, M. Parnell tourna les talons et sortit.

Quelques instants plus tard, Alice quitta la maison Parnell. Elle se rendit ensuite chez son père où elle apprit que M. Harris travaillait pour le compte d'un marchand de biens immobiliers de River City. Il ne s'occupait aucunement de la vente des concessions au cimetière de la ville...

Alice décida d'aller voir M. Harris sur-le-champ et elle se mit en route pour l'avenue Blanche où étaient situés ses bureaux. Elle lui exposa sans détours le but de sa visite et lui demanda quelles étaient ses relations d'affaires avec M. Tombar. Encore sous le coup de l'indignation provoquée par l'attitude de ce dernier, M. Harris répondit de bonne grâce :

« J'ai simplement demandé à Tombar s'il avait l'intention de vendre l'auberge de l'Iris-Bleu, expliqua-t-il. Connaissez-vous l'endroit ?

— Pas du tout, répondit Alice.

— C'est une vieille auberge fort pittoresque, perdue en pleine campagne, sur la route de la Forêt à une trentaine de kilomètres de River City. Une masure, à vrai dire, et complètement isolée. Mais il n'empêche que l'on pourrait y monter une affaire excellente avec restaurant et dancing. J'ai justement un client que cela intéresserait... J'en ai donc parlé à Tombar qui a acheté l'endroit il y a quelque temps pour une bouchée de pain. Il pourrait revendre avec un gros bénéfice...

— Et il a refusé ?

— Il n'a même pas voulu engager la discussion... »

« Je parierais que M. Tombar s'en allait là-bas tous les jours, à l'heure du déjeuner, songeait

Alice. Ce n'est pas si loin... il en avait le temps. »

Et, se souvenant de la boue qui couvrait les pneus du cabriolet vert, elle chercha à se renseigner sur l'état de la route de la Forêt.

« Le chemin n'est pas fameux, déclara M. Harris. Il n'est même pas goudronné jusqu'au bout, ce qui est bien le plus ennuyeux. Heureusement, mon client dispose de moyens financiers qui lui permettraient de faire aménager cette route... »

L'auberge de l'Iris-Bleu... Ce nom intriguait la jeune fille et, en toute autre circonstance, elle eût déjà souhaité connaître cette maison, mais à présent, sachant que le propriétaire en était Peter Tombar, elle mourait littéralement d'envie de la voir.

Dès qu'elle fut de retour chez elle, Alice téléphona à Bess pour la mettre au courant des derniers événements et l'inviter à se rendre avec elle à l'Iris-Bleu le lendemain matin.

— Je n'en ai guère envie, avoua Bess. Mais je ne veux pas t'abandonner... Quand partirons-nous ?

— Je passerai te prendre à neuf heures », déclara Alice. Puis elle se mit à rire et ajouta : « Je crois qu'il sera prudent d'emporter des sandwiches, car cela m'étonnerait que l'on nous offre à déjeuner à l'auberge de l'Iris-Bleu... et j'ai aussi l'impression que nous risquons de passer là-bas une bonne partie de la journée !

— Dans cette masure perdue au fin fond des bois ? protesta Bess. Oh ! Alice, tu me donnes le frisson ! »

Chapitre 18

Alice se déguise

Le soleil brillait de toute son ardeur lorsque, le lendemain matin, Alice et Bess découvrirent enfin l'auberge de l'Iris-Bleu.

Complètement à l'écart des fermes installées aux alentours, la maison, d'aspect sinistre, s'abritait à l'ombre de quelques grands pins. Tout y semblait abandonné et les plates-bandes d'iris qui sans doute lui avaient valu son nom disparaissaient sous les ronces et les herbes folles.

Alice laissa sa voiture à bonne distance, puis, suivie de Bess, elle s'avança prudemment vers l'auberge. Craignant que M. Tombar ne se trouvât dans les parages, les jeunes filles marchaient sans bruit, surveillant les ouvertures de la maison que l'on avait barricadées pour la plupart avec des planches.

« Rien que de voir cette bicoque, j'en ai la chair de poule, murmura Bess. En fait d'auberge, je ne voudrais même pas m'y arrêter pour manger un sandwich... »

Alice eut un sourire.

« L'endroit est joli, pourtant, et l'on pourrait vraiment y installer quelque chose de très bien », dit-elle.

Les deux amies firent le tour de la masure et jetèrent un coup d'œil à travers les fentes des volets et des planches. Elles constatèrent à leur vive surprise que les pièces étaient tout encombrées de boîtes et de caisses, dont certaines étaient clouées et solidement cerclées.

« Cela ressemble à un entrepôt, observa Bess.

— Ces caisses viennent peut-être de chez Morris, suggéra Alice. Snecker est justement employé à la réception des marchandises et comme il connaît M. Tombar...

— Crois-tu qu'il puisse s'agir d'objets volés ? questionna Bess.

— On le dirait bien... Si nous pouvions seulement pénétrer dans la maison et ouvrir l'un de ces colis... »

Alice inspecta soigneusement les fenêtres, vérifia la fermeture des portes : ainsi qu'elle le craignait, tout était verrouillé et soigneusement barricadé.

« Impossible d'entrer sans démolir quelque chose, conclut-elle. Et cela pourrait nous mener en prison... Violation de propriété... bris avec effraction...

— Alors, il faut que nous retournions à River City pour prévenir la police.

— Sans doute n'y a-t-il rien d'autre à faire, convint Alice en soupirant. Mais je voudrais pourtant trouver le moyen de m'introduire d'abord dans cette bicoque... Tu comprends, Bess, je commence à y voir un peu clair dans cette affaire qui était jusqu'à présent un vrai casse-tête chinois.

— Tu as de la chance...

— Voyons, rappelle-toi cette marque de compte de crédit que j'ai découverte dans la rue le jour de l'enlèvement de Marion... Elle appartenait certainement à Snecker. Et maintenant, à moins que toutes ces caisses ne contiennent le mobilier ou le matériel de l'Iris-Bleu, je suis convaincue que leur présence ici n'est pas naturelle...

— Je suis de ton avis, Alice. Mais imagine qu'elles soient bien la propriété de l'auberge, nous aurions l'air malin d'alerter la police...

— C'est justement pourquoi je tiens à vérifier auparavant un certain nombre de points importants », répondit Alice.

De retour à River City, elle se rendit droit chez son père. Grâce à lui, elle apprit que M. Tombar avait acheté l'auberge non meublée.

« Et maintenant, papa, que penses-tu de tout

cela ? Dois-je avertir la police ? demanda la jeune fille.

— En réalité, tu n'as encore rien de très précis à invoquer, répondit James Roy. À mon avis, il faudrait d'abord rassembler d'autres éléments. Par exemple, essaie donc de savoir si Tombar ne se serait pas porté acquéreur d'une partie du mobilier lors de la vente aux enchères... »

Alice décida d'aller se renseigner immédiatement chez le commissaire-priseur. Mais, en route, elle rencontra M. Parnell.

« Je suis bien heureux de vous voir, mademoiselle, s'écria-t-il d'un ton cordial. J'ai vainement essayé de vous atteindre par téléphone toute la matinée.

— J'étais partie me promener à la campagne, expliqua Alice.

— Je craignais que vous n'ayez oublié quel jour nous sommes, fit-il, baissant la voix.

— Le 1er juillet..., dit-elle surprise.

— C'est-à-dire la troisième des dates que vous avez relevées sur le masque. Linda Sedley m'avait mis au courant de vos soupçons... Aussi serais-je très content s'il vous était possible d'assister à la réception prévue pour ce soir. C'est un bal que donnent les Godfrey dans leur propriété. Et au dernier moment ils ont décidé que tout le monde serait costumé.

— J'irai avec plaisir.

— Je vous fournirai un travesti, déclara M. Parnell.

— Que diriez-vous si je me déguisais en demoiselle du vestiaire ?

— Excellente idée. Vous ne sauriez trouver meilleur poste d'observation : vous verrez ainsi défiler tous les invités... Venez avec moi, je vais vous trouver la tenue qui conviendra. »

Remettant à plus tard sa visite au commissaire-priseur, Alice suivit M. Parnell jusqu'au Joyeux-Carnaval. Là, elle choisit une robe noire de stricte coupe chemisier avec un col et des poignets de batiste empesée. Puis elle compléta l'ensemble par un petit ruché d'organdi blanc en guise de coiffure.

« J'ai une nouvelle à vous annoncer, dit M. Parnell, reconduisant la jeune fille à la porte quelques instants plus tard. Je reprends Mlle Sedley.

— Oh ! que je suis contente ! » s'écria Alice ravie.

Quand la jeune fille rentra chez elle, portant un grand carton sous le bras, elle eut l'heureuse surprise de trouver son ami Ned qui l'attendait, assis à l'entrée de la véranda.

« Bonjour, ma vieille, s'écria-t-il gaiement. Ma parole, tu as une mine superbe ! »

Et s'approchant d'Alice, il lui planta un baiser retentissant sur les deux joues.

« Je suis contente de te voir, s'écria Alice.

— Moi aussi. Et puis, j'ai fini mes examens ce matin. Je suis en vacances : la vie est belle !... Dis-moi, qu'y a-t-il dans ce carton ? Une robe neuve pour aller danser ce soir ?

— Peut-être... », répondit Alice, mystérieuse.

Elle exposa au jeune homme le plan qu'elle avait imaginé, puis elle ajouta :

« Pourquoi ne viendrais-tu pas avec moi, Ned ? Tu pourrais faire le groom ou bien t'occuper du vestiaire des messieurs pendant que je surveillerais celui des dames... N'aurais-tu pas envie de m'aider à attraper deux ou trois bandits masqués ?

— Ma foi, répondit Ned, puisque tu me fais l'honneur de cette proposition... j'accepte, naturellement.

— Viens, nous allons téléphoner à M. Parnell. »

Le directeur du Joyeux-Carnaval accepta d'emblée la proposition d'Alice et il fut convenu que Ned seconderait au vestiaire des messieurs la personne envoyée par la maison Parnell.

« À présent, je voudrais bien que tu me mettes au courant des derniers événements, dit ensuite le jeune homme. Rappelle-toi que je ne suis pas sorti de mes bouquins depuis la dernière fois que je t'ai vue ! »

Alice accéda aussitôt au désir de Ned et elle termina son récit en parlant des liens qu'elle avait découverts entre M. Tombar et Robert Snecker.

« Quoi qu'il en soit, mes prochaines investigations porteront sur l'auberge de l'Iris-Bleu..., conclut-elle.

— Ce qui m'étonne le plus, observa Ned avec malice, c'est que, Marion et toi, vous n'ayez pas encore réussi à démonter cette maison planche par planche pour avoir le fin mot du mystère ! »

Au nom de son amie, le visage d'Alice s'assombrit.

« Tout le monde est très inquiet au sujet de Marion, expliqua-t-elle. Elle ne se remet pas du choc qu'elle a subi, et personne ne parvient à comprendre ce qui se passe chez elle...

— C'est navrant », murmura Ned.

Puis le jeune homme partit dîner chez lui. Quand il revint, une heure plus tard, vêtu de la livrée de valet qu'avait envoyée M. Parnell, Alice le regarda d'un œil amusé.

« Superbe, s'écria-t-elle. Tu vas avoir un succès fou au vestiaire ! Et moi, comment me trouves-tu ?

— Très bien, mais complètement différente de ce que tu es d'habitude... Quelle coiffure, Seigneur ! »

Lorsque les deux jeunes gens se présentèrent chez Mme Godfrey, le directeur du Joyeux-Carnaval les attendait. Il murmura à l'oreille d'Alice que les dispositions nécessaires avaient été prises pour empêcher les bandits d'opérer.

« Tout ira bien, déclara-t-il. J'ai fait venir six

inspecteurs en civil pour la surveillance. Il ne peut rien arriver. »

Alice et Ned gagnèrent immédiatement les deux chambres du premier étage où l'on avait installé les vestiaires. Dans celui réservé aux dames, Alice trouva la domestique qu'elle était chargée de seconder : une jeune bonne nommée Hilda.

Pendant l'heure qui suivit, Alice s'acquitta de sa besogne adroitement, non sans remarquer que certains invités portaient des travestis ravissants et qu'elle reconnut pour les avoir admirés chez Parnell.

Quant aux masques, il y en avait de toutes les formes et de tous les genres. La plupart n'étaient que de simples loups. Parmi les invitées, Alice ne reconnut personne. Quand le bal fut commencé, M. Parnell vint informer la jeune fille que toutes les personnes s'étant présentées à l'entrée se trouvaient en possession d'une carte d'invitation dûment contresignée par lui.

À l'annonce de cette nouvelle, Alice poussa un soupir de soulagement. De son côté, Hilda décidait de se reposer en attendant la fin de la réception.

« Nous en avons pour deux bonnes heures à ne pas faire grand-chose, dit-elle en s'installant confortablement sur un sofa. Autant se mettre à l'aise... »

Cependant Alice décida de rester vigilante. Quelques instants plus tard, un invité se présenta. C'était un homme de haute taille, qui portait un magnifique costume de calife.

« Ma femme désire son manteau. Il est vert foncé, dit-il, tendant à la jeune fille un jeton de vestiaire. Faites vite, je vous prie. »

Alice jeta sur l'inconnu un coup d'œil furtif, mais il lui fut impossible de détailler son visage à demi masqué par l'écharpe de soie blanche qui complétait le déguisement. Cependant l'expression de son regard lui parut inquiétante.

Point ne fut besoin à Alice de se référer au numéro du jeton pour savoir quel manteau on lui demandait ; elle n'en avait reçu qu'un seul de couleur verte. Elle décida néanmoins de prendre son temps et feignit de ne pouvoir retrouver le vêtement.

« Pressez-vous ! » fit l'homme avec impatience.

Alice remarqua qu'il parlait avec un léger accent britannique. Plus intriguée que jamais, elle lui tourna délibérément le dos, puis elle glissa la main dans la poche intérieure du manteau. Ses doigts rencontrèrent un objet souple et doux au toucher qu'elle sortit en toute hâte... C'était une cagoule de velours noir, comme en portaient les voleurs masqués !

Chapitre 19

Danger dans l'ombre

Alice n'hésita pas une seconde : résolue à ne pas trahir sa découverte, elle repoussa le masque à l'intérieur de la poche, décrocha le manteau de son cintre et le tendit à l'inconnu.

Dès que celui-ci se fut retiré, Alice se débarrassa de sa coiffe d'organdi. Puis elle enfila le vieux manteau démodé qu'elle avait apporté.

« Je vous laisse, déclara-t-elle sans cérémonie à la jeune Hilda qui la considérait avec effarement.

— Ça, alors ! » lança la domestique indignée...

Mais faisant la sourde oreille à ces récriminations, Alice se lança à la poursuite de l'inconnu. Au passage, elle alerta Ned.

« Regarde là-bas, lui dit-elle à voix basse : tu vois cet homme en costume de calife ? Eh bien, surveille-le et, quoi qu'il arrive, ne le laisse pas s'échapper. »

Les deux jeunes gens s'étaient arrêtés sur le palier du premier étage et, du haut de l'escalier, ils virent l'individu rejoindre une dame à cheveux blancs qui l'attendait dans le vestibule. Toute voûtée, elle ne portait pas de travesti et semblait très âgée.

Alice ne quittait pas le couple des yeux tandis que l'individu se penchait avec sollicitude vers sa compagne pour l'aider à revêtir son manteau. Puis ils se séparèrent, l'un se dirigeant vers la salle de bal, l'autre s'avançant à pas lents et incertains vers une porte-fenêtre qui ouvrait sur le jardin.

« Suis cet homme, Ned, dit Alice. Moi, je surveille la vieille dame. »

Ned se précipita sur les traces du suspect. Celui-ci, qui se faufilait prestement parmi la foule des danseurs, traversa la salle, prit le chemin des cuisines, atteignit la porte battante qui y donnait accès, la poussa et disparut.

Ned allait atteindre la porte à son tour quand il sentit une poigne énergique le saisir par le bras et, se retournant, il se trouva face à face avec l'un des maîtres d'hôtel de la maison Parnell.

« Pardon, jeune homme, il est interdit de... »

Sans prendre le temps de fournir la moindre explication, Ned se dégagea d'une secousse, franchit la porte et déboucha dans une vaste office. Au même instant, il aperçut le fugitif qui traversait la pièce voisine et s'éclipsait par une autre issue. Sans doute cette dernière menait-elle à la cave.

Ned suivit le même chemin. Il ouvrit la porte par laquelle l'homme avait disparu : ainsi qu'il l'avait pensé, elle donnait sur l'escalier du sous-sol. Il appuya sur l'interrupteur mais aucune lampe ne s'alluma.

Ned, frottant une allumette et saisissant la rampe, descendit les marches avec précaution. Mais il eut beau scruter la pénombre, il ne vit personne.

Quand il atteignit le bas de l'escalier, son allumette s'éteignit. À l'instant où il en cherchait une autre, il crut entendre derrière lui un léger bruit. Il n'eut pas le temps de se retourner : quelque chose le heurta violemment à la tempe et il tomba.

Il demeura quelques secondes étendu tout de son long sur le sol, étourdi par le choc, les oreilles bourdonnantes. Ainsi, il était tombé dans un guet-apens !

Péniblement, Ned se mit sur ses genoux. Là-bas, à l'autre extrémité de la cave, la lueur d'une lampe de poche dansait sur les murs. Finalement, le faisceau lumineux s'arrêta sur le tableau de commande des installations électriques de la maison et Ned distingua vaguement la silhouette d'un homme occupé à l'examiner.

« C'est donc cela ! faillit s'écrier Ned. Ce

bandit va couper le courant et plonger la maison entière dans l'obscurité ! Il faut que je l'en empêche ! »

Le jeune homme parvint à se relever et il se dirigea à pas de loup vers son adversaire. Il n'était plus qu'à deux mètres de lui quand celui-ci tendit le bras vers le tableau. Ned bondit, mais une seconde trop tard : le courant était déjà coupé à l'instant où les deux hommes roulèrent sur le sol, dans une bataille acharnée.

Cependant, Alice, bien loin de se douter de ce qui s'était passé dans le sous-sol, avait suivi la dame à cheveux blancs. Elle était persuadée à présent que cette mystérieuse invitée n'avait pas le grand âge que son aspect lui donnait. Pour s'en convaincre, il suffisait à la jeune fille de constater l'agilité de sa démarche depuis qu'elle ne se croyait plus observée.

Il devint bientôt évident que la femme connaissait parfaitement les lieux : au lieu de sortir dans le jardin, elle se faufila dans un salon que l'on n'avait pas utilisé pour la réception.

Le cœur battant, Alice se souvint qu'elle avait remarqué dans cette pièce un magnifique paon d'argent massif posé sur une console.

Alice s'approcha sans bruit. Soudain, au moment où l'inconnue tendait la main vers le précieux objet, une lame de parquet craqua sous ses pas, trahissant sa présence. La femme sursauta et jeta un coup d'œil par-dessus son épaule.

Alice sentait son cœur battre à se rompre.

Elle s'élança vers la voleuse, mais celle-ci esquiva le geste, leste comme un chat. Au même instant, toutes les lumières de la maison s'éteignirent.

« C'est la tactique habituelle, songea Alice, désespérée. Ces bandits vont encore réussir leur coup ! »

La rage au cœur, elle battait l'air de tous côtés dans l'espoir de saisir son adversaire quand une voix d'homme retentit soudain derrière elle, impérieuse et brutale :

« Ne bougez plus ! Pas un geste ! »

Chapitre 20

Alice marque un point

Alice reconnut immédiatement la voix qui avait donné cet ordre : c'était celle du brigadier Ambrose !

Ne tenant aucun compte de l'interdiction qui lui avait été faite, Alice continua d'avancer à tâtons et de chercher la « vieille dame ». Elle savait que celle-ci ne pouvait être très loin.

Dans l'obscurité, elle buta soudain contre la console qui supportait le paon d'argent et, au même instant, elle eut la certitude que la voleuse était là, tout près d'elle ! Elle étendit brusquement les bras en avant et, ceinturant son adversaire, serra de toutes ses forces.

La femme se défendit comme une tigresse, griffant et se débattant furieusement, tant et si bien qu'Alice eut grand-peine à ne pas lâcher prise. Redoublant d'efforts, la voleuse était sur le point de se dégager lorsque la lumière revint brusquement.

Alice reprit alors courage et, apercevant le brigadier Ambrose à l'autre extrémité du salon, elle l'appela à son secours.

« Vite ! Empêchez cette femme de se sauver ! s'écria-t-elle. Elle vient de prendre le paon d'argent ! »

Ambrose bondit vers la voleuse et la maintint d'une poigne solide tandis qu'Alice s'emparait de l'objet dérobé. Après quoi, elle arracha le masque de la femme. Une figure rageuse apparut. C'était celle d'une jeune femme brune dont les yeux lançaient des éclairs.

Alice la regarda avec surprise. Alors qu'elle s'attendait à voir la fameuse Orientale déjà rencontrée à *Bellevue*, chez les Harwick, voici qu'elle se trouvait face à face avec l'élégante voyageuse qui avait participé à l'enlèvement de Marion !

« Cette fois, ma belle, vous êtes prise, déclara Ambrose, rayonnant. Une complice de moins pour la bande au Masque de Velours ! Et les autres, où sont-ils ? »

Dédaignant de répondre à la question, la femme jeta avec colère :

« Imbécile ! Ce n'est pas aujourd'hui que vous m'aurez : je n'ai rien à voir dans vos histoires, moi ! Ne voyez-vous pas que tout ceci est une machination montée contre moi ? »

Le brigadier Ambrose éclata de rire et passa

prestement les menottes aux poignets de la femme. Elles se refermèrent avec un déclic.

« Venez, la belle, je vous emmène », dit-il.

Cependant, Alice s'était mise à fureter derrière un radiateur de chauffage central qui se trouvait auprès de la console. Finalement elle découvrit par terre une perruque blanche. C'était celle de la « vieille dame ».

Avant que la jeune fille n'ait eu le temps d'expliquer au brigadier Ambrose la signification de cette découverte, Mme Godfrey accourut, escortée par M. Parnell.

« Que s'est-il passé ? demanda le directeur du Joyeux-Carnaval tandis que l'hôtesse semblait sur le point de s'évanouir.

— Ma foi, monsieur, répondit Ambrose, je ne puis que rendre hommage au courage de Mlle Roy : c'est elle qui a surpris et arrêté la voleuse que voici !

— Splendide, s'écria M. Parnell. Mais je serais curieux de savoir comment cette femme a pu s'introduire ici...

— Vous rappelez-vous avoir vu entrer une vieille dame à cheveux blancs ? demanda alors Alice.

— Parfaitement, reconnut Ambrose. Mais sa carte était en règle et portait la marque spéciale que M. Parnell avait fait ajouter au dernier moment par mesure de précaution. »

Alice tendit au brigadier la perruque qu'elle avait découverte.

« Voici ce que portait la dame en question », dit-elle.

Sur ce, Mme Godfrey intervint pour expliquer que l'une des invitées était une personne inconnue d'elle.

« Ce matin, de bonne heure, j'ai reçu un coup de téléphone d'une amie, Nelly Baron. C'était pour me demander si elle pourrait amener à la réception son vieil oncle et sa vieille tante, de passage à River City. J'ai répondu oui, j'ai envoyé l'un de mes domestiques déposer deux cartes à l'hôtel Claymore où étaient descendus ce monsieur et cette dame...

— Croyez-moi, madame, cette voleuse n'est pas plus la tante de Mlle Baron que la mienne ! » déclara le policier.

On fit alors venir Mlle Baron qui déclara n'avoir jamais vu la « vieille dame ». En outre, personne de sa famille ne se trouvait de passage à River City et n'avait sollicité d'invitation pour le bal masqué...

« J'en étais sûr, dit Ambrose. Cette voleuse est une fine mouche : elle n'a pas hésité à utiliser le nom de Mlle Baron pour obtenir une carte d'entrée en règle. »

Tandis que l'on interrogeait la cambrioleuse, les policiers en civil qu'avait engagés M. Parnell pour la soirée fouillaient le parc de la propriété. Bientôt, l'un d'eux vint annoncer au brigadier Ambrose qu'aucun suspect n'y avait été découvert.

« Voyons, cette femme n'était pourtant pas toute seule pour opérer ! protesta Alice. Un homme l'accompagnait. Je l'ai vu, je lui ai parlé... »

Soudain, Alice poussa un cri. Ned venait d'apparaître sur le seuil du salon. Mais c'était un Ned qu'elle avait failli ne pas reconnaître avec ses vêtements déchirés, son visage tuméfié et ses cheveux en broussaille.

« Ned ! s'exclama-t-elle. Tu viens de te battre avec quelqu'un, ce n'est pas possible !

— Je te crois ! Ce monsieur que tu m'avais chargé de surveiller était plus combatif et mieux entraîné que toute une équipe de joueurs de rugby... Je m'en suis bien aperçu.

— Et il s'est sauvé ? demanda Alice.

— Hélas ! oui, avoua Ned, consterné. Remarque que j'aurais pu ne pas le lâcher, mais il fallait que je choisisse entre deux lignes de conduite : tenir mon homme jusqu'au bout ou rétablir le courant électrique. J'ai préféré la dernière solution, espérant ainsi empêcher les cambrioleurs de réussir leur coup.

— C'est en effet ce qui est arrivé, dit Alice. Si les lampes ne s'étaient pas rallumées à ce moment-là, je suis sûre que cette voleuse m'aurait échappé ! »

Ned se mit alors à raconter la bagarre qui s'était déroulée au sous-sol. Mais à peine avait-il commencé que le brigadier Ambrose l'interrompit brusquement.

« C'est étrange ! s'exclama-t-il. J'avais posté un homme à la cave pour surveiller le tableau et le compteur électrique. Qu'est-il donc devenu ? »

Inquiet, le brigadier Ambrose se hâta de confier la prisonnière à la garde de l'un de ses hommes et se précipita au sous-sol, suivi d'Alice, de Ned, de M. Parnell et de l'hôtesse.

On visita toutes les caves sans trouver la moindre trace du policier ni du bandit qui avait assailli Ned.

« Je n'y comprends rien, grommela Ambrose. Jamais Mack n'aurait abandonné son poste ! »

Comme il ouvrait la porte d'une chambre froide servant de réserve à provisions, il poussa une exclamation de surprise. Sur le sol, gisait un homme inanimé. C'était Mack.

Il ne semblait pas que l'infortuné eût été assommé, mais il fallut pourtant de longs efforts pour le ranimer. Attaqué par-derrière, il avait été chloroformé par ses assaillants avant d'avoir pu se défendre. Cette scène s'était déroulée une dizaine de minutes avant l'arrivée de Ned.

« C'est la méthode habituelle de ces bandits, expliqua Alice à Mme Godfrey qui n'en croyait pas ses oreilles.

— Mais c'est épouvantable... épouvantable ! » s'écria l'hôtesse.

Lorsque les policiers eurent emmené la femme, M. Parnell et Mme Godfrey félicitèrent Alice pour sa présence d'esprit et son courage.

Ils remercièrent également Ned du rôle important qu'il avait joué dans l'affaire. Grâce aux deux jeunes gens, les voleurs avaient manqué leur coup.

Alice et son camarade passèrent encore une heure chez Mme Godfrey et, cette fois, se mêlèrent à la foule joyeuse des invités. Puis ils prirent congé de leur hôtesse.

« Nous avons tout de même réussi à marquer un point contre ces chenapans, déclara Ned, tandis qu'il prenait avec Alice le chemin du retour. Ou disons plutôt que c'est toi qui as marqué ce point. Jusqu'ici, je n'ai guère servi que de figurant...

— Tu as été fameusement utile ! » protesta la jeune fille. Son visage devint grave et elle poursuivit, songeuse : « Je me demande pourtant si nous parviendrons jamais à démasquer le reste de la bande...

— Que veux-tu dire, Alice ? Ce que tu as réussi ce soir pourra très bien se renouveler un autre jour.

— Qui sait ? Nous verrons cela samedi. Sinon la partie sera perdue.

— Pourquoi samedi ?

— C'est la dernière des dates inscrites sur la doublure du masque, expliqua Alice. Mais ce qui me tracasse, c'est qu'aucune réception n'est prévue pour samedi...

— Ainsi, tu n'as aucun soupçon sur l'endroit où les voleurs risquent d'opérer ?

— Pas le moindre, Ned, et j'en suis fort ennuyée. J'ai peur qu'ils n'aient monté pour ce jour-là quelque coup de grande envergure. Si je connaissais seulement un moyen de les en empêcher !

— Écoute, Alice, j'ai une idée... »

Chapitre 21

Le plan d'Alice

« Tu finiras par faire de moi un détective », continua Ned en riant. Puis il expliqua : « Voici à quoi j'ai pensé. À ton avis, de qui les bandits ont-ils le plus peur ?

— De la police, naturellement.

— Erreur... Rappelle-toi que c'est Alice Roy qu'ils ont voulu enlever et pas du tout le commissaire Morgan. »

La jeune fille sourit.

« Bon, dit-elle. Continue...

— Qui a capturé la voleuse de ce soir ? Toi encore. En conséquence, tu peux être sûre que la bande au Masque de Velours va se tenir sur ses gardes et peut-être même renoncer à tout nouveau cambriolage si elle te sait dans les parages. Mais si tu disparais, elle s'enhardira, sortira de sa retraite, ce qui permettra à la police de la capturer au grand complet... Hypothèse, poursuivit Ned d'un ton réjoui, qui te laissera toute ta liberté samedi prochain et te permettra ainsi de me consacrer un peu de temps... »

Cette fois, Alice éclata de rire.

« Quand je pense que je t'ai écouté jusqu'au bout, s'écria-t-elle. Tu as gagné, Ned : j'accepte. Seulement...

— Non, ma fille, pas d'objections, s'il te plaît : j'ai des billets pour le bal de fin d'année qu'organisent mes camarades d'université. Alors, tu comprends... »

Alice assura qu'elle ne demandait pas mieux que d'assister à ces réjouissances.

« Si, toutefois, je découvrais d'ici là quelque indice extraordinaire et qu'il me fallût suivre une piste, tu viendrais avec moi, n'est-ce pas ?

— Seigneur, que me réserves-tu encore ! fit Ned, feignant un ton de profonde désolation. Bah ! s'il se présente une chance de terminer cette partie si bien commencée, compte sur moi. Mais j'ai autre chose à t'annoncer : nous aurons congé jeudi. C'est le jour des régates ; quant à vendredi, n'oublie pas que ce sera le 4 Juillet : jour de l'Indépendance, fête nationale... Ton père m'a dit qu'il comptait sur toi pour sortir avec lui à cette occasion.

— Compris. Je m'en souviendrai », promit Alice.

Le lendemain matin, la jeune fille téléphona au commissaire Morgan et celui-ci lui apprit que la prisonnière refusait de parler. Alice proposa alors de la confronter avec Linda Sedley pour voir si cette dernière la reconnaîtrait.

Alice s'empressa d'aller chercher son amie. Puis elles se rendirent ensemble à la prison où on leur permit de voir la détenue. Quand celle-ci se présenta devant elles, Alice scruta attentivement son visage dans l'espoir d'y déceler quelque signe prouvant qu'elle connaissait Linda. Elle eut tout à coup la certitude qu'il en était bien ainsi, mais l'expression qu'elle avait vue passer sur les traits de la femme était si fugace qu'elle préféra n'en rien dire.

Sans insister davantage, les deux amies s'en allèrent chez le commissaire Morgan.

« Je suis certaine que cette femme ne m'est pas inconnue, déclara Linda.

— Où croyez-vous l'avoir déjà rencontrée ?

— Au Joyeux-Carnaval, dans le bureau de M. Parnell. Si je ne m'abuse, elle était venue voir le directeur au sujet d'une réception qu'elle projetait. Elle ne l'a d'ailleurs jamais donnée... À mon avis, elle paraissait s'intéresser bien davantage à la collection de masques antiques ornant les murs qu'aux détails de sa réception...

— Elle s'est donc entretenue avec M. Parnell ? demanda Alice.

— Non, mais avec M. Tombar. Comme le directeur était absent, son homme de confiance s'était installé dans son bureau pour y recevoir la clientèle. »

Sur ce, le commissaire Morgan, qui avait écouté avec beaucoup d'attention le récit de Linda, suggéra que la jeune fille serait peut-être capable d'identifier certains des objets trouvés sur la détenue. Celle-ci refusait obstinément de donner son nom, et ses vêtements ne portaient pas la moindre marque de magasin ni de teinturier.

« L'inspectrice qui l'a fouillée n'a trouvé sur elle que ceci d'intéressant », dit finalement le commissaire.

Et, ouvrant un tiroir, il y prit un cercle d'argent étrangement ciselé qu'il tendit aux jeunes filles.

« Je sais ce que c'est, s'écria Linda. Ce bracelet vient de la maison Parnell. Nous le louons habituellement comme accessoire pour accompagner un costume de sultane !

— Vous venez de nous donner là de précieux renseignements, mademoiselle, déclara le commissaire. Peut-être notre voleuse se décidera-t-elle maintenant à parler... »

Alice et Linda choisirent d'attendre le résultat du nouvel interrogatoire. Mais il fut négatif : la prisonnière s'obstinait à ne rien dire.

Alice reconduisit Linda au Joyeux-Carnaval. Là, elle eut soudain l'idée de demander où habitait M. Tombar et se rendit aussitôt à l'adresse indiquée. Ainsi qu'elle le prévoyait, la maison était vide et une voisine informa la jeune fille que les occupants avaient déménagé à l'improviste quelques jours plus tôt.

« Je n'ai décidément pas de chance aujourd'hui », murmura Alice, déçue.

Au retour, elle s'arrêta chez Morris et s'entretint quelques instants avec le jeune employé chargé de seconder M. Snecker. Il lui apprit que ce dernier avait repris son travail. Mais il venait de partir en camion faire une livraison.

« Je ne savais pas que la livraison des marchandises incombait également à votre service, dit Alice avec étonnement.

— En réalité, ce n'est pas tout à fait régulier, expliqua le garçon. Parfois, quand M. Snecker est un peu gêné par son asthme, il préfère prendre l'air. Alors, il sort avec l'un des camions dont le chauffeur a son jour de liberté. »

Alice s'abstint de tout commentaire.

« Dites-moi, reprit-elle, M. Snecker sera-t-il ici demain ?

— Non, mademoiselle. Il a obtenu un jour de vacances en supplément à l'occasion de la fête de l'Indépendance : il doit partir en voyage ce soir, ce qui lui fera vraiment un très long weekend, du mercredi au lundi matin...

— Ainsi, s'exclama Alice, profondément désappointée, il ne sera pas ici avant lundi matin ! »

Le samedi matin, lendemain de la fête nationale, Alice constata avec une vive amertume que les magasins Morris étaient fermés, de même que la plupart des autres maisons de commerce de River City. Elle décida alors de faire chez le commissaire-priseur cette visite qu'il lui avait fallu remettre plusieurs jours auparavant. Peut-être y apprendrait-elle si M. Tombar avait acheté le mobilier et le matériel de l'Iris-Bleu ? Là encore, elle trouva malheureusement porte close : les bureaux n'ouvriraient que le lundi.

« Je pourrais toujours aller me promener jusqu'à l'auberge et voir ce qui s'y passe, se dit Alice. J'aurai largement le temps de revenir m'habiller pour le pique-nique et le bal de ce soir. Je me demande si Bess voudrait venir avec moi... »

Sur ces entrefaites, Alice songea avec remords qu'elle avait négligé depuis plusieurs jours de prendre des nouvelles de son amie Marion.

« Je vais m'y arrêter en allant chez Bess », se dit-elle.

Elle trouva Bess chez Marion. Toute pimpante dans une jolie robe bleue, elle faisait la lecture à sa cousine. Mais celle-ci avait toujours sa mine tourmentée et son visage amaigri.

« Oh ! que je suis contente de te voir, Alice, s'écria Bess. Marion était si inquiète : elle craignait qu'il ne te fût arrivé quelque chose.

— À moi ? Quelle idée ! fit Alice en riant.

— Je ne cesse de redouter le pire, avoua Marion.

— Je me demande bien pourquoi : je suis si

raisonnable et si sage depuis quelques jours que je ne me reconnais plus...

— Où t'en vas-tu de ce pas ? questionna Bess.

— J'avais pensé que..., commença la jeune fille.

— Mon Dieu, interrompit Marion, je parie que tu es en route pour quelque nouvelle expédition, et je suis sûre que cette fois les choses se termineront mal !

— Mais non. J'avais simplement envie d'aller faire un petit tour à la campagne pour voir un endroit que l'on appelle l'Iris-Bleu...

— Qu'est-ce que je disais ! Bess m'a parlé de cette sinistre maison, ou, plutôt, j'ai réussi à lui arracher quelques détails... » Et, saisissant le bras de son amie, Marion s'écria d'un ton suppliant : « Ne va pas là-bas toute seule, je t'en prie !

— Si cette vieille auberge a paru impressionnante à Bess, c'est parce qu'elle est abandonnée et que les ronces ont tout envahi, expliqua Alice avec calme.

— C'est vrai, approuva Bess vivement. Et si tu tiens à y aller, Alice, je t'accompagnerai. »

Marion se tordit les mains avec nervosité.

« Pourquoi ne voulez-vous pas m'écouter ? Restez ici, je vous en conjure, insista-t-elle d'une voix angoissée. Tout ce que vous pourriez découvrir ne vaut pas le risque que vous allez courir... »

Alice et Bess s'efforcèrent de tranquilliser la jeune fille.

« D'ailleurs, ajouta Alice d'un ton rassurant, ce ne sera qu'une petite promenade. Je dois rentrer de bonne heure pour me préparer à sortir ce soir avec Ned. Nous allons à un dîner en plein air suivi d'un bal organisé par ses camarades d'université. »

Un peu plus tard, tandis que les deux amies se dirigeaient vers l'Iris-Bleu, elles reparlèrent de l'étrange comportement de Marion.

« Comme je voudrais que les médecins découvrent enfin quelle est sa maladie ! dit Alice.

— Et si elle ne devait jamais guérir..., gémit Bess.

— Ne parle pas de cela, fit Alice vivement. Cette fois, c'est toi qui me donnes le frisson ! »

Elle n'en dit pas davantage, car son attention venait d'être attirée par une voiture verte qui roulait à quelque distance devant elle. Jugeant plus prudent de ne pas la dépasser, la jeune fille ralentit.

Alice et Bess ne tardèrent pas à distinguer l'Iris-Bleu. Et, voyant l'automobile qui les précédait tourner dans l'allée conduisant à l'auberge, Alice se demanda si le conducteur ne serait pas par hasard M. Tombar...

« Je vais passer tout droit et je me garerai plus loin, dit Alice. Ensuite, il faudra que nous revenions à pied jusqu'à cette maison, en prenant bien garde à ne pas nous faire découvrir... »

Quand les jeunes filles dépassèrent l'Iris-Bleu, elles aperçurent la voiture verte rangée à côté de l'auberge. Le conducteur en descendait au même instant et Alice le reconnut immédiatement.

« Peter Tombar ! s'écria-t-elle. S'il est ici pour la raison que je soupçonne, aujourd'hui sera peut-être finalement mon plus beau jour de chance ! »

Chapitre 22

Prisonnières !

Alice s'arrêta un kilomètre plus loin, à l'angle d'une petite route. Elle gara sa voiture à l'ombre d'un bouquet de saules, puis s'achemina vers l'auberge en compagnie de Bess.

Lorsque les jeunes filles arrivèrent en vue de la bicoque, la voiture verte était toujours dans l'allée, mais son propriétaire avait disparu.

« Il doit être à l'intérieur de la maison », dit Alice.

Se dissimulant derrière les grands pins qui abritaient l'auberge, les deux amies firent le tour de celle-ci. Puis Alice s'enhardit et s'avança avec précaution jusqu'à une fenêtre. Là, avisant une petite fente entre les planches qui barricadaient l'ouverture, elle risqua un coup d'œil à l'intérieur.

« Que vois-tu ? demanda Bess à voix basse. Tombar est-il là ?

— Quelqu'un est en train de se promener dans les pièces, une lampe électrique à la main... Oui, c'est bien Tombar !... Mais je me demande ce que sont devenus ces caisses et ces colis que nous avons aperçus l'autre jour...

— Ils ne sont plus là ?

— Je ne les vois pas...

— Écoute, Alice, c'est assez, la pria Bess, tirant son amie par la manche. Nous n'avons plus rien à faire ici. Allons-nous-en. »

Mais Alice fit la sourde oreille. Médusée, elle vit Peter Tombar se diriger vers l'angle de la pièce vide, soulever une trappe ménagée dans le plancher et disparaître sous terre...

À ce moment, Bess empoigna le bras de la jeune fille et la tira violemment en arrière.

« Sauvons-nous ! Voici un camion qui arrive ! » s'écria-t-elle affolée.

Il était trop tard pour que les deux amies pussent s'enfuir sans être vues. Aussi se plaquèrent-elles contre la fenêtre dans l'espoir de passer inaperçues.

Heureusement, la chance était avec elles, car au lieu de s'avancer jusqu'à la maison, le grand camion bâché s'arrêta à l'entrée de l'allée.

Les jeunes filles attendirent, le cœur battant. Mais, à leur grande surprise, le véhicule manœuvra et repartit aussitôt.

« C'était un camion de chez Morris !

s'exclama Alice. Le magasin est pourtant fermé aujourd'hui !

— Le chauffeur a dû nous voir ! fit Bess, tremblante.

— Pas forcément. En tout cas, nous avons le temps à présent de surveiller Tombar.

— Non, Alice, partons, je t'en supplie ! »

Sans répondre, Alice recommença d'observer ce qui se passait dans la maison. Elle vit bientôt reparaître M. Tombar. Il tenait à la main plusieurs objets que la jeune fille ne put tout d'abord identifier. Soudain, elle les reconnut.

« Ce sont des cagoules ! s'écria-t-elle.

— Voici la preuve qu'il nous fallait pour confondre M. Tombar, dit Bess, gagnée par l'enthousiasme. Nous sommes sûres maintenant qu'il appartient à la bande au Masque de Velours ! »

Dans la surexcitation qui s'était emparée d'elle devant la découverte faite par son amie, Bess s'était approchée de la fenêtre, elle aussi. Soudain, les jeunes filles prirent brutalement conscience du danger auquel elles s'étaient exposées en voyant Tombar se diriger vers la porte ouvrant sur le côté de l'auberge, tout près de l'endroit où elles se tenaient.

« Vite, Alice, sauvons-nous, souffla Bess. Cette fois, nous sommes... »

Elle ne put achever sa phrase. Alice, qui venait d'entendre derrière elle un léger bruit, fit volte-face. Au même instant, une cagoule s'abattit sur sa tête, lancée par une femme masquée qui s'était approchée à pas de loup.

Les jeunes filles engagèrent avec leurs assaillants une lutte acharnée, mais toute résistance fut bientôt inutile, car M. Tombar accourut au secours de ses complices.

« C'est cette petite peste d'Alice Roy et l'une de ses amies, annonça la femme.

— Comment ! s'exclama M. Tombar, furieux. Ah ! je me doutais bien qu'elle m'espionnait depuis quelque temps ! Mais nous allons nous occuper d'elle... Pour l'instant, il faut faire passer ces deux vauriennes au large : j'attends la visite de mon agent immobilier d'une minute à l'autre et il ne s'agit pas qu'il s'aperçoive de quoi que ce soit ! »

On emmena les prisonnières dans la maison en toute hâte et on les fit descendre à la cave. Là, on remplaça leur cagoule par un bandeau sur les yeux. Puis on les bâillonna et on leur lia chevilles et poignets.

« Et voilà, mes mignonnes, déclara ensuite M. Tombar d'un ton satisfait. Vous voyez ce qui arrive aux gens trop curieux, n'est-ce pas ? »

Sur ces mots railleurs, il abandonna ses captives.

Bien qu'il fût impossible à celles-ci de bouger et de proférer le moindre son, elles entendaient parfaitement ce qui se passait dans la maison, au-dessus de leur tête. M. Harris, l'agent immobilier, ne tarda guère à se présenter et M. Tombar l'accueillit avec une grande cordialité.

« Je suis très heureux que vous ayez pu passer par ici aujourd'hui, dit-il courtoisement. J'ai réfléchi à cette offre que vous a faite votre client au sujet de ma maison.

— Seriez-vous décidé à vendre ?

— Oui. Si toutefois le prix me convient et à condition que l'affaire puisse être menée rondement. Je tiens aussi à être payé comptant. Sinon, n'en parlons plus...

— Je crois que cela sera possible, répondit M. Harris. Je vous demande seulement de me donner deux heures pour tout régler.

— Convenu, dit M. Tombar. Je vous rejoindrai à votre bureau dans l'après-midi. »

Étendue sur le sol poussiéreux et humide de la cave, Alice songeait avec désespoir à la situation dramatique dans laquelle elle se trouvait, ainsi que son amie Bess. Et voici que, de plus, M. Tombar avait l'intention de vendre l'Iris-Bleu ! C'était manifestement pour s'enfuir avec ses complices avant que la police ne soit parvenue à le démasquer...

« Et puis, qui viendra jamais nous chercher ici ?... » pensait Alice tandis que s'éloignait la voiture de M. Harris.

Marion était seule à savoir où s'étaient rendues sa cousine et son amie. En temps habituel, l'absence prolongée de ces dernières eût suffi à lui donner l'éveil. Mais la pauvre fille semblait avoir perdu toute initiative et toute énergie. Pouvait-on compter sur elle pour donner l'alerte ?

Vingt minutes s'écoulèrent encore, puis les jeunes filles entendirent des pas descendre l'escalier de la cave. Quelqu'un vint ôter les liens qui serraient leurs chevilles et leurs poignets, puis remit brutalement les prisonnières sur leurs pieds.

« En route, les enfants, dit une voix rude. On vous emmène... »

Alice et Bess sentirent le cœur leur manquer. Leur unique chance de salut allait-elle donc s'évanouir ?...

Tandis qu'elle remontait l'escalier, poussée par l'un des bandits, Alice se demandait comment il lui serait possible de laisser une trace de son passage. Soudain, elle pensa aux boutons de sa robe.

« Si j'essayais d'en arracher un ? » se dit-elle.

Aussitôt, elle fit mine de trébucher et, délibérément, s'en alla heurter le mur avec violence, ce qui lui permit de porter la main à son corsage sans être vue. Elle agrippa l'un des boutons et tira de toutes ses forces. L'étoffe céda et Alice entendit un bouton tomber sur les marches !

« C'est notre unique espoir », songea-t-elle, tandis que son gardien, surpris par sa manœuvre, la morigénait sans le moindre ménagement.

« Avancez donc, s'écria-t-il. Pas la peine de

traîner en route. » Puis, comme les prisonnières atteignaient le haut de l'escalier, il lança à l'adresse de M. Tombar : « Nous y sommes, Peter ! »

Le bandit lia de nouveau les chevilles et les poignets des jeunes filles, après quoi il transporta les deux captives, ligotées et bâillonnées, dans un véhicule qui attendait devant la maison. Il les déposa sur le plancher à l'arrière. Le chauffeur mit le contact, démarra et s'engagea sur la route à grande allure. Alice et Bess se demandèrent si elles se trouvaient dans ce camion des magasins Morris qu'elles avaient vu s'approcher de l'auberge.

À l'avant du véhicule étaient installées deux personnes. En les écoutant parler, Alice eut la certitude qu'elles s'efforçaient de déguiser leur voix.

« Voilà qui est étrange, se dit-elle. Ces gens craindraient-ils de se faire reconnaître ?... Je vais essayer de les prendre au dépourvu et il est probable que je pourrai alors entendre leur voix normale. »

Alice se mit aussitôt à cogner des pieds contre le plancher de la voiture à grand bruit.

« Florence ! Que se passe-t-il ? s'écria le conducteur.

— C'est cette maudite gamine qui cherche sans doute à nous ennuyer », répondit la femme.

La voix de Mme Snecker !

« Tâchez de rester tranquilles, vous deux,

gronda la femme. Sinon, vous vous en repentirez : nous n'avons pas l'intention de supporter vos bêtises ! »

Alice écouta cette semonce avec une satisfaction extrême : son stratagème avait réussi ! Mais quant aux « bêtises » qu'elle était susceptible de faire, elle ne voyait guère en quoi elles consisteraient... Le corps meurtri par les cahots de la voiture, les membres engourdis par la position inconfortable dans laquelle elle se trouvait, elle sentait sa résistance s'amenuiser. Une sourde douleur commençait à marteler ses tempes, et ses muscles raidis la tourmentaient à l'en faire crier.

Et Bess ? Pourquoi ne bougeait-elle pas ? Dormait-elle, ou bien s'était-elle évanouie ?

Alice essaya de se rapprocher de son amie, mais celle-ci se trouvant à l'autre extrémité du camion, il lui fallut renoncer à l'atteindre : l'effort était trop pénible.

Enfin le véhicule ralentit : on devait entrer dans une ville. Il y eut plusieurs virages, puis on s'arrêta. Le conducteur coupa le contact. Sans doute se trouvait-on dans une impasse ou dans une petite rue retirée, car l'on n'entendait pas le bruit des voitures.

La femme parlait à son compagnon et Alice n'eut aucune peine à distinguer ses paroles.

« Je suis contente que notre ami aille directement chez M. Harris au lieu de l'attendre à l'auberge, disait-elle. Et il a eu aussi une fameuse idée en se décidant à prendre le large en même temps que nous : à présent, la région n'est pas plus saine pour lui que pour nous... »

Alice ne douta pas un instant que la personne visée par ce discours ne fût M. Tombar. Ainsi, ce dernier comptait prendre la fuite dès qu'il aurait touché l'argent versé par l'acquéreur de l'Iris-Bleu...

« C'est égal, je ne suis pas tranquille, reprit Mme Snecker.

— Tais-toi donc, grommela l'homme. Ce soir tu n'auras plus de souci à te faire : tu seras riche... »

On transporta les prisonnières à l'intérieur d'un bâtiment.

« Au revoir, jolie blonde », dit Mme Snecker, se penchant vers Alice, étendue sur le sol. Elle continua, railleuse : « Nous verrons bien si tu vas maintenant t'empresser d'avertir la police et de lui raconter ce que tu sais !

— Patience, ajouta l'homme. Nous reviendrons te chercher tout à l'heure, et, cette fois, nous t'emmènerons dans un endroit où tu ne risqueras plus de parler ! »

Sur ces mots, les bandits manœuvrèrent une lourde porte à glissières. Elle se referma, puis l'on entendit une clef tourner dans la serrure. Le local où l'on avait laissé les prisonnières fut plongé de nouveau dans l'obscurité et le silence, comme un tombeau.

Alice commença aussitôt à se contorsionner

en tous sens, mais il lui fut impossible de desserrer ses liens. Jamais encore, elle ne s'était trouvée dans une situation aussi critique !

Elle avait obtenu la preuve formelle que Peter Tombar et les Snecker appartenaient à la bande au Masque de Velours. D'autre part, elle avait également acquis la certitude que les malfaiteurs complotaient un nouveau cambriolage. Ce serait leur dernier coup, puis ils prendraient la fuite.

Mais à quoi bon ces renseignements et ces preuves puisque la jeune fille, déjà incapable de se libérer de ses liens et de délivrer son amie, ne pouvait songer à avertir la police ?

« Mon Dieu, pourquoi me suis-je laissé prendre ? » songeait Alice, désespérée.

Chapitre 23

Le secret de Marion

À River City, cependant, on commençait à s'alarmer de l'absence prolongée des jeunes filles.

La vieille Sarah avait donné l'alerte la première, persuadée qu'il se passait quelque chose d'anormal puisque Alice n'était pas revenue s'habiller pour son dîner avec Ned. Affolée, elle téléphona à plusieurs reprises chez les Taylor, mais obtint à chaque fois la même réponse des parents inquiets : on était sans nouvelles de Bess...

À sept heures, lorsque Ned se présenta, Sarah lui apprit qu'Alice n'était pas rentrée.

Et elle lui expliqua en pleurant que l'on n'avait pas revu Alice et Bess depuis leur départ de chez Marion Webb. Elles avaient seulement annoncé à cette dernière leur intention de se rendre du côté de certaine auberge, dite « de l'Iris-Bleu »...

« Mais personne ne sait où est cette maison, dit Sarah à travers ses larmes. On n'en trouve même aucune trace sur l'annuaire du téléphone. Oh ! Ned, n'avez-vous pas une idée ? Que peut-on faire ?

— Je vous promets de dénicher l'adresse de cette auberge et de m'y rendre immédiatement, déclara le jeune homme d'un ton résolu. Je m'en vais interroger Marion ; peut-être pourra-t-elle me fournir une indication... »

Ned courut à sa voiture, démarra en trombe. Quelques minutes plus tard, il sonnait à la porte de la famille Webb. Marion était debout et achevait de s'habiller, aidée par sa mère. Sa nervosité était extrême, et la pâleur de son visage semblait s'être encore accentuée depuis que la jeune fille avait appris la disparition d'Alice et de Bess.

« Je savais que cela arriverait, se lamentait-elle. J'avais pourtant recommandé à Alice de ne pas aller là-bas... Mais elle se moquait de moi et de mes craintes. Et maintenant, la terrible menace va être mise à exécution...

— La menace ! répéta Ned. Quelle menace, Marion ?

— Je n'ose pas le dire.

— Mais il faut nous le dire ! C'est le seul moyen de secourir Alice et Bess qui sont peut-être en grand danger !

— Si je parle, cela retombera sur nous tous... », fit Marion d'un ton obstiné.

Ned laissa échapper un sifflement de surprise.

« C'est donc si grave ! » reprit-il. Puis sa voix se fit sévère et il continua : « Écoute-moi bien, Marion, et trêve d'enfantillages, s'il te plaît : il s'agit sans doute d'une question de vie ou de mort pour Alice et Bess. Parle !

— Ned a raison, approuva Mme Webb. Tu ne vas tout de même pas donner plus d'importance à tes craintes qu'à la sécurité de Bess et d'Alice ! »

Marion demeura clouée sur place, comme assommée par les paroles qu'elle venait d'entendre. Et puis il s'opéra en elle une transformation extraordinaire : en quelques instants, ses yeux retrouvèrent leur éclat et le sang afflua à ses joues.

« C'est vrai, dit-elle d'une voix ferme, il faut que je vous aide à retrouver Alice et Bess. Je ne comprends pas ce qui m'a retenue de parler jusqu'à présent.

— Parle vite ! s'écria Mme Webb.

— Eh bien, commença Marion, depuis que je suis tombée aux mains des bandits, il m'a semblé perdre toute énergie. Je n'avais plus goût à quoi que ce soit. Les mots que la femme m'avait dits à l'oreille s'étaient inscrits en lettres de feu dans mon esprit... Cette misérable m'avait avertie que, si je ne décidais pas Alice à abandonner son enquête, les conséquences seraient terribles, non seulement pour elle, mais aussi pour son entourage : Sarah, M. Roy, ma famille et celle de Bess...

— Tu aurais dû prévenir la police, Marion ! s'exclama Mme Webb.

— Je n'ai pas osé.

— Les bandits t'avaient-ils encore dit autre chose ? demanda Ned.

— Après m'avoir ainsi menacée, la femme a murmuré ceci : "Nous mettrons Alice au frais avec les fleurs !" Et depuis, je ne cesse de me demander ce que cela signifiait...

— Au frais avec les fleurs ? répéta Mme Webb.

— Il pourrait s'agir d'une resserre ou bien d'une cave ? suggéra Ned.

— Peut-être, convint Marion. Croyez-vous qu'il y aurait un local de ce genre à l'Iris-Bleu ?... Attendez, j'ai une idée : je me rappelle qu'Alice m'a parlé l'autre jour d'un agent immobilier qui avait l'intention de racheter cette auberge. Il va pouvoir nous renseigner ! »

Sans perdre un instant, Marion courut au téléphone et appela M. Harris. Lorsqu'elle rejoignit sa mère et Ned qui l'attendaient dans le salon, son visage semblait soucieux, mais résolu.

« J'ai appris beaucoup de choses, annonça-t-elle. M. Harris m'a expliqué qu'à cette auberge s'ajoutaient autrefois des serres utilisées pour la culture de l'iris bleu. Il y avait aussi une cave où l'on rangeait les plants et les rhizomes.

— Je parie qu'Alice et Bess sont enfermées dans cette cave ! s'écria Ned. Mais sais-tu où se trouve la maison ?

— Oui, M. Harris me l'a dit, continua Marion. Et ce n'est pas tout : il m'a encore raconté que la vente de l'auberge devait se conclure aujourd'hui même entre l'un de ses clients et M. Tombar, le propriétaire...

— Tombar ! C'est justement lui qu'Alice a toujours soupçonné ! fit Ned.

— M. Harris aurait dû lui remettre l'argent cet après-midi, mais il lui a fallu renoncer à réunir la somme nécessaire en si peu de temps. Aussi a-t-il demandé à M. Tombar de bien vouloir ne passer à son bureau que lundi matin.

— Alors, peut-être M. Tombar a-t-il regagné l'Iris-Bleu ! Dans ce cas, nous pouvons l'y rejoindre et savoir si Alice et Bess sont là-bas ! décida Ned.

— J'y vais aussi », déclara Marion avec fermeté.

L'expédition s'organisa rapidement, composée de Ned, de M. Taylor, de Marion et de son père. Comme ils allaient partir, Sarah téléphona pour annoncer qu'elle avait enfin réussi à atteindre M. Roy.

« Il a tout de suite alerté la police et il s'est mis en route pour l'Iris-Bleu, dit-elle. Dépêchez-vous d'aller là-bas, je vous en supplie ! »

Quand Ned et ses compagnons arrivèrent à l'auberge, ils trouvèrent les policiers en train d'enquêter. On avait déjà découvert la voiture d'Alice abandonnée à quelque distance de la maison.

« La question est de savoir si Alice et Bess sont vraiment venues ici, dit M. Roy. Rien ne le prouve : la voiture de ma fille a très bien pu être amenée par les ravisseurs...

— Je vais chercher à mon tour », déclara Marion, empruntant une lampe électrique à l'un des policiers.

Ce ne fut qu'en arrivant à la cave que la jeune fille découvrit un indice important. On pouvait y voir les traces d'allées et venues suspectes, peut-être même d'une bagarre, et Marion désigna aux policiers certaines empreintes visibles sur le sol de terre battue.

« Regardez ! » s'écria soudain la jeune fille d'une voix triomphante. Et, ramassant le bouton qu'avait laissé tomber son amie, elle affirma : « Ceci appartient à la robe d'Alice !

— Voici qui va nous mettre sur la piste, s'écria un des policiers avec feu. Il est hors de doute que vos deux amies ont été enlevées d'ici et que leurs ravisseurs ont utilisé la voiture ou le camion dont nous avons relevé les traces devant la maison. Nous allons essayer de les suivre... »

L'examen des empreintes laissées par les pneus des deux véhicules sur le sable de l'allée révéla qu'ils étaient venus par la route de River City et repartis dans la même direction.

« Cela ne prouve rien, dit l'un des policiers. De plus, si ces traces nous mènent à la ville, nous les perdrons certainement avant d'arriver jusqu'au bout : elles auront été effacées par le passage des autres véhicules... »

M. Roy hocha la tête tristement.

« Je crains que vous n'ayez raison, dit-il. Le mieux serait, je crois, de lancer par radio le signalement de la voiture de M. Tombar. Peut-être cela permettrait-il de l'intercepter quelque part ?

— Nous allons faire le nécessaire, promit le policier. Malheureusement, nous ignorons quel genre de camion possèdent les ravisseurs. En outre, les bandits ont déjà une avance considérable sur nous.

— Raison de plus pour faire barrer toutes les routes sortant de la ville, insista James Roy. Nous n'avons que trop tardé ! »

Sur ces mots, l'avocat se dirigea vers sa voiture. Mais, s'apercevant que Ned était demeuré en arrière, il l'appela :

« Dépêchez-vous, nous n'avons pas une minute à perdre ! »

Le jeune homme secoua la tête.

« Je reste ici, dit-il.

— Pourquoi donc ? demanda James Roy, surpris.

— J'ai décidé de surveiller cette maison. C'est peut-être une idée ridicule, mais je pense qu'il existe une chance de voir les bandits revenir ici ce soir...

— Voyons, Ned, vous ne pouvez monter la garde ici tout seul, reprit l'avocat. Nous allons demander à l'un des policiers...

— Ne vous inquiétez pas pour moi, insista le jeune homme. Il n'y a aucun risque. Et puis, je préfère ne pas immobiliser ici un policier dont vous pourrez avoir grand besoin ailleurs. Je peux me tromper, vous comprenez. Tombar sera peut-être le seul à se montrer aux abords de cette auberge... »

Chapitre 24

Au feu !

Abandonnées par leurs ravisseurs, Alice et Bess vivaient des instants dramatiques. Leur bâillon ne leur permettait de respirer qu'à grand-peine et elles sentaient les liens, qui les paralysaient, pénétrer dans leur chair.

« Ces bandits ont décidément bien pris leurs précautions afin que nous ne puissions leur échapper, songeait Alice avec dépit. Il ne me reste plus qu'à essayer de découvrir un instrument ou un outil quelconque. »

Se roulant et se traînant sur le sol, Alice accrocha soudain un objet métallique qu'elle tâta vaguement. C'était une mince bande d'acier cerclant une caisse.

Aussitôt, Alice reprit espoir. Couchée sur le côté, elle leva les pieds et, par un mouvement de va-et-vient, se mit à user les liens de ses chevilles sur l'arête métallique coupante. Aucun effort ne lui avait jamais semblé aussi pénible. À plusieurs reprises, vaincue par la fatigue, elle dut abandonner sa tâche.

Elle réussit enfin : la corde élimée céda brusquement, libérant les chevilles de la jeune fille !

Celle-ci se releva et, à tâtons, recula vers la caisse afin d'amener ses poignets au contact du métal. Puis elle se mit à la besogne. Cinq minutes plus tard, ses mains étaient libres. Elles arrachèrent bandeau et bâillon.

« Quel bonheur ! » s'écria Alice, haletante.

Elle s'efforça de scruter la pénombre qui l'entourait. Sa prison n'avait pas de fenêtres : à la vague lueur d'un rai de lumière filtrant au ras du sol, Alice crut distinguer des piles de caisses. Où se trouvait-elle et où était Bess ?

Comme elle avançait, butant contre les obstacles, elle heurta de la tête une ampoule électrique qui se balançait au bout d'un fil. Alice leva le bras et tourna le commutateur placé sur la douille. La lumière jaillit.

La jeune fille s'aperçut alors que l'endroit où les bandits avaient laissé leurs prisonnières était une sorte d'entrepôt.

« Serait-ce par hasard l'une des remises des magasins Morris ? » se demanda Alice.

Elle parcourut les allées qui séparaient les tas de caisses et de colis et ne tarda pas à découvrir Bess. Vite, elle la délivra et l'aida à se relever.

« Où sommes-nous ? demanda Bess d'une voix tremblante.

— Peut-être bien dans la remise des magasins Morris...

— Vite, sauvons-nous ! »

C'est en vain que Bess essaya de manœuvrer la lourde porte métallique qui barrait l'entrée du local : elle était fermée à clef !

« Je m'en doutais, marmonna Alice. À présent... »

Elle n'acheva pas sa phrase et, bondissant vers la lampe, elle l'éteignit. Un bruit de voix s'élevait au-dehors... Alice revint près de son amie à pas de loup et colla son oreille à la porte afin d'écouter ce qui se disait.

Un homme parlait. Il s'étendait avec complaisance sur la facilité avec laquelle s'était effectuée la capture des deux jeunes filles. Enfin, il annonça à son interlocuteur que tout était prêt pour la seconde étape de leur voyage.

« Nous partirons dans une demi-heure, dit-il. À présent, personne ne nous empêchera de prendre ce qui nous plaît chez Morris. Dès que nous aurons ramassé les bijoux, les fourrures et l'argenterie, nous filerons, sans oublier d'emmener les deux gamines, naturellement... Et, maintenant, allons-y. »

Alice sentait son cœur battre à se rompre. Ainsi, la bande au Masque de Velours s'apprêtait à cambrioler les magasins Morris ! Il fallait à tout prix l'en empêcher, mais comment ?

Cependant, les voleurs s'éloignaient. Par prudence, Alice et Bess attendirent quelques instants, puis elles rallumèrent la lampe.

« Que faire ? demanda Bess.

— Examine les murs. Peut-être verras-tu une trappe ou une ouverture quelconque servant au passage des paquets ? Pendant ce temps-là, je vais regarder ce que contiennent ces caisses... » Et elle ajouta, désignant l'un des colis : « Ce grand carton que voilà ressemble étrangement à l'un de ceux que j'ai vus à l'auberge de l'Iris-Bleu... »

Alice souleva le couvercle du carton. Le premier objet qu'elle aperçut fut l'un des masques indiens qui avaient disparu de chez M. Parnell.

« Voici la preuve qu'il me fallait ! » s'écria-t-elle.

Sous une couche de papier de soie, elle découvrit d'autres masques qu'elle reconnut : tous venaient du Joyeux-Carnaval.

Alice ouvrit ensuite une petite caisse dans laquelle se trouvaient les miniatures et bibelots d'argent ciselé appartenant aux collections de M. Harwick, le père de son amie Gloria.

« Regarde, Bess, le butin des voleurs ! annonça Alice.

— Splendide ! Mais, hélas ! ce n'est pas cela qui nous aidera à sortir d'ici... »

Bess avait achevé d'inspecter les murs sans y apercevoir la moindre ouverture. De son côté,

Alice ouvrit encore deux autres colis : ils contenaient aussi des objets volés.

« C'est à n'y rien comprendre ! s'exclama Bess, tous ces emballages portent la marque des magasins Morris !

— Excellent moyen de tromper la police : les bandits ont sans doute transporté ces caisses à l'Iris-Bleu pour les y remplir de leur butin ; après quoi, Snecker les a rapportées ici et s'est empressé de les étiqueter comme marchandise à renvoyer à l'expéditeur parce que ayant été endommagée pendant le transport.

— Ainsi, ce destinataire appartiendrait également à la bande ?

— Mais non : il ignore tout, au contraire. Tu peux remarquer que les caisses portent les mêmes adresses, les unes, celle d'un grossiste, les autres, celle d'un fabricant. À mon avis, l'un des complices des bandits doit être employé chez chacun de ces deux destinataires. Il surveille les arrivages, récupère les objets répartis dans les caisses et s'en va les vendre à un brocanteur ou les confier à un receleur.

— Tous les colis qui sont ici attendraient donc d'être expédiés par les voleurs ? fit Bess, abasourdie.

— Oh ! non, ils sont beaucoup trop nombreux. La plupart d'entre eux contiennent effectivement des marchandises destinées au magasin. Tiens, regarde l'étiquette de celui-ci : *gilets de laine...*

— Et cette autre : *porcelaine* », ajouta Bess. Puis, se penchant sur une troisième caisse, elle annonça : « Celle-ci contient des jouets. »

Alice voulut en avoir le cœur net : elle ouvrit l'emballage.

« C'est exact, dit-elle. Des jeux, une panoplie, un équipement de petit chimiste... » Elle souleva le couvercle du coffret qu'elle venait d'apercevoir. « Bess, j'ai une idée ! s'exclama-t-elle. Nous allons peut-être trouver le moyen de sortir d'ici !

— Vite, explique-moi !

— Regarde, que lis-tu sur ce paquet ?

— *Fumée*, répondit Bess docilement. Mais je ne...

— Ce qui veut dire, enchaîna Alice, que nous allons pouvoir donner aux bandits l'illusion qu'un incendie s'est déclaré ici...

— Mais nous risquons de mettre le feu pour de bon !

— Aucun danger, Bess : il y aura de la fumée, sans plus... Essaie d'écouter ce qui se passe dehors. Moi, je vais tout préparer. »

Bess alla coller son oreille contre la porte métallique. On entendait un bourdonnement de voix. Quelques instants plus tard, la jeune fille distingua ces mots :

« Il n'y en a plus pour longtemps. Je serai de retour dans vingt minutes. »

Peu après, des pas résonnèrent dans la remise

contiguë à celle dans laquelle se trouvaient les deux amies. Bess s'empressa d'en avertir Alice.

« Très bien, je suis prête, dit cette dernière. Il s'agit à présent de voir ce que vont donner mes talents de “petit chimiste” ! Va vite chercher les cordes, bâillons et bandeaux dont nous nous sommes débarrassées tout à l'heure. Nous risquons d'en avoir besoin. Et puis, tu éteindras la lumière. »

Bess se hâta d'obéir. Alors Alice s'accroupit sur le sol, près de l'entrée, et se mit à souffler sur le mélange qu'elle venait de préparer avec le contenu du coffret. L'épaisse fumée qui, déjà, s'en échappait commença à filtrer sous la porte de la remise.

Patiemment, Alice continua son manège. Elle ne devait pas tarder à être récompensée de ses efforts, car une exclamation de surprise retentit soudain au-dehors.

« On a vu la fumée, jeta Alice à voix basse. Attention, Bess, recule-toi ! »

À peine les deux jeunes filles avaient-elles eu le temps de s'effacer contre le mur qu'une clef tourna dans la serrure et que la porte métallique s'ouvrit, glissant sur son rail.

Un homme parut, l'air effaré, humant la fumée. Comme il se précipitait à l'intérieur de la remise, Alice, allongeant le pied, lui fit un croc-en-jambe. Il s'étala tout de son long !

Chapitre 25

Le masque tombe

En un clin d'œil, Alice et Bess se jetèrent sur l'homme et lui immobilisèrent bras et jambes. Il eut beau se contorsionner et se débattre, elles le maintinrent fermement, cloué au sol.

« Vite, Bess, aide-moi à le ligoter ! » s'écria Alice.

Elles lièrent prestement les poignets et les chevilles du bandit, puis le bâillonnèrent en un tournemain. Alors, Alice donna la lumière pour examiner le prisonnier.

« Je suis sûre que c'est l'un des ravisseurs de Marion ! » s'exclama-t-elle. Et elle demanda : « Êtes-vous M. Snecker ? »

L'homme lança à la jeune fille un regard furieux.

Voulant savoir à quoi s'en tenir, Alice glissa la main dans la poche du captif, en retira un porte-cartes. À l'intérieur, se trouvait un permis de conduire au nom de Robert Snecker...

Soudain, Alice eut une idée.

« Où sont les clefs du magasin ? se dit-elle. Je parie que ce misérable les a sur lui ! »

Elle ne s'était pas trompée : et, vu les circonstances, elle n'hésita pas un instant à utiliser le trousseau de clefs pour pénétrer dans le magasin.

Les jeunes filles refermèrent la porte de la remise, puis traversèrent rapidement la courette qui séparait les entrepôts des magasins de vente. Alice s'arrêta devant la première entrée qu'elle rencontra et essaya d'ouvrir à l'aide des différentes clefs du trousseau. Enfin, l'une d'elles tourna dans la serrure. Sans bruit, Alice entrebâilla la porte et se faufila par l'ouverture, suivie de Bess.

Les deux amies gravirent quelques marches et poussèrent la porte battante qui donnait accès au rez-de-chaussée du magasin.

Elles s'avancèrent à pas de loup dans la pénombre que trouaient seulement de rares lampes en veilleuse. Bientôt apparut le rayon de la bijouterie. Deux femmes et un homme masqués étaient en train de s'emparer du contenu des vitrines !

« C'est terrible, dit Bess à voix basse. Qu'allons-nous faire ? Nous ne pouvons pas arrêter ces gens-là à nous deux !

— Peut-être que si, avec de la chance, répondit Alice. Il faut que nous téléphonions immédiatement à la police. »

Les jeunes filles se retirèrent sans bruit pour se mettre en quête d'une cabine téléphonique. Elles en trouvèrent une au fond du magasin et Alice appela le commissariat. À peine avait-elle donné son nom que M. Morgan l'interrompit.

« Où êtes-vous donc, mademoiselle ? Toute la police de la région est à votre recherche ! s'écria-t-il.

— Je suis chez Morris. La bande au Masque de Velours est en train de cambrioler le magasin. Venez vite. Je vous attends dans la petite rue, à l'entrée qui est réservée au personnel...

— Nous arrivons ! »

Alice et Bess revinrent alors sur leurs pas. Au rayon de la joaillerie, les voleurs poursuivaient leur besogne.

Les minutes passèrent, interminables pour les deux amies.

Enfin, retentit au-dehors la sirène d'une voiture arrivant à toute vitesse. Des pneus crissèrent sur le pavé. Les bandits sursautèrent.

« La police ! s'écria l'une des femmes d'une voix stridente. Vite, filons ! »

Affolés, les malandrins se précipitèrent vers l'issue réservée au personnel. Mais Alice et Bess, qui les y avaient devancés, leur barrèrent le passage.

Voyant la retraite coupée, l'homme fit volteface et s'élança dans la direction opposée, tandis que ses complices commettaient l'erreur de se jeter sur les jeunes filles pour les écarter de leur chemin. Ce fut le début d'une bataille acharnée.

La lutte ne fut interrompue que par l'irruption du brigadier Ambrose, suivi de ses policiers. En un clin d'œil, Alice et Bess furent dégagées et les voleuses se retrouvèrent les menottes aux mains.

« L'homme qui était avec elles s'est enfui ! s'exclama Alice, haletante. Quant à leur autre complice, Robert Snecker, vous le trouverez dans la remise des messageries... »

Tandis que les policiers se précipitaient, Ambrose arracha la cagoule des prisonnières.

« Florence Snecker ! » dit alors Alice, reconnaissant l'une des femmes.

Quant à l'autre, c'était cette mystérieuse personne que la jeune fille avait déjà rencontrée costumée en Orientale chez les Harwick, puis qu'elle avait prise sur le fait en train de subtiliser les bijoux de Mme Linnell !

Cependant, les recherches des policiers ne devaient avoir d'autre résultat que la découverte du malheureux gardien de nuit, ligoté et bâillonné dans une cabine d'ascenseur.

Snecker ne tarda pas à venir rejoindre ses complices et l'on rassembla le trio dans le bureau de M. Morris. Celui-ci, alerté par téléphone, arriva peu après.

Bien que toute estimation rapide de l'importance du vol fût impossible et que le fugitif eût emporté un certain nombre de bijoux, M. Morris déclara que l'intervention des deux jeunes filles avait épargné au magasin une perte énorme.

Alice fit alors un bref résumé de l'affaire et termina ainsi :

« J'ai commencé à soupçonner Snecker le jour où j'ai découvert qu'il connaissait M. Tombar. Et j'en suis à me demander si le bandit qui s'est enfui tout à l'heure ne serait pas justement M. Tombar... »

Avec l'aide d'Alice qui lui apportait au fur et à mesure les preuves et les précisions nécessaires, Ambrose procéda sur-le-champ à l'interrogatoire en règle des trois bandits. Ceux-ci refusèrent d'abord d'ouvrir la bouche, mais, apprenant que leur cause serait moins mauvaise s'ils passaient aux aveux, ils s'y décidèrent.

La première, Mme Snecker fondit en larmes et raconta avec force lamentations le rôle qu'elle avait joué dans l'affaire. Elle prétendit s'être bornée à écrire plusieurs lettres à un certain brocanteur et à un receleur.

« Je n'avais jamais participé à un cambriolage avant aujourd'hui..., ajouta-t-elle.

— Si nous allons en prison, les autres iront aussi, annonça alors Snecker sur un ton plein d'amertume. Il y a deux hommes qui sont bien plus coupables que nous...

— Dites-nous votre histoire, ordonna le brigadier Ambrose. Et d'abord, qui est cette femme que nous avons arrêtée l'autre jour ?

— C'est Mme Ridley, la sœur de Florence Snecker, répondit l'homme. Il y a très peu de temps qu'elle appartient à la bande. »

Le policier se tourna vers la seconde prisonnière.

« Et vous, comment vous appelez-vous ? demanda-t-il.

— Gertrude Kriff, actrice, déclara Snecker, voyant que sa complice s'obstinait à garder le silence. Si elle n'avait pas eu grand besoin d'argent elle aussi, elle ne se serait sûrement jamais mêlée de rien. »

Le bandit poursuivit sa confession en rejetant la responsabilité des cambriolages sur Peter Tombar. Celui-ci avait pour fidèle associé le frère de Mme Snecker, l'homme qui venait de prendre la fuite.

« Quel est son nom ? s'enquit Ambrose.

— Jerry Goff. C'est un monsieur qui a de l'instruction et il parle quelquefois avec l'accent d'Oxford pour impressionner les gens...

— Ou bien pour déguiser sa voix », ajouta Alice, songeant à l'aventure qui lui était arrivée chez Mme Linnell. Et elle questionna à son tour : « N'était-ce pas lui qui portait une grande cape noire au bal masqué de *Bellevue*, chez les Harwick ?

— Si. Tombar la lui avait prêtée. Mais comme elle était déchirée et que vous l'aviez reconnue parmi les costumes du Joyeux-Carnaval, il s'est empressé de la faire disparaître.

— Ce Jerry participait également à l'enlèvement de mon amie Marion, n'est-ce pas ?

— Oui, il était assis devant nous pendant le voyage.

— Et vous étiez aussi de la partie, j'imagine ?

— En effet, convint Snecker. J'aidais Mme Kriff. Mais nous n'avons pas eu de chance : nous nous sommes trompés de personne !

— Vous avez commis ce jour-là une autre erreur en perdant votre marque de crédit du magasin...

— Elle est tombée de ma poche au moment où je me penchais par la portière de la voiture. Sur le coup, je n'y ai guère attaché d'importance. Malheureusement, c'est vous qui l'avez trouvée...

— Et vous avez ensuite empêché le personnel de M. Morris de remettre les marques à la direction ainsi que l'ordre en avait été donné ?

— Bien sûr, repartit Snecker, haussant les épaules. J'ai fait passer un faux contrordre, car je savais ce qui m'attendait si toutes les plaques étaient remises au bureau du chef, sauf la mienne... »

Le bandit expliqua encore que Jerry Goff avait l'habitude d'assister à de nombreuses réceptions à River City, et qu'il en profitait pour faire la connaissance des domestiques et du personnel de cuisine dans les maisons les plus importantes. Cela lui permettait, lors du cambriolage, de se faufiler jusqu'au sous-sol sans attirer l'attention, afin de fermer le compteur électrique.

« Qui décidait et préparait les opérations ? demanda Alice.

— Tombar. Et il veillait à tout : il nous donnait la liste des endroits que nous devions cambrioler, fournissait masques et costumes, ainsi que le plan des maisons.

— Sans oublier les cartes d'invitation qui vous permettaient d'entrer chez les hôtes ?

— Évidemment : rien ne lui échappait...

— Racontez-moi donc comment la miniature de Marie-Antoinette a fini par échouer au rayon de la bijouterie des magasins Morris, poursuivit Alice.

— C'est par suite d'une fausse manœuvre : toutes les miniatures de M. Harwick avaient été cachées à l'Iris-Bleu. Mais en les emballant, j'ai mis celle-là dans ma poche, par distraction. Je ne m'en suis aperçu que le lendemain, en arrivant chez Morris ; et comme l'employé qui travaille avec moi aux messageries m'avait vu la tenir à la main, il a bien fallu que je l'envoie à la vente. Après, je n'ai pas osé aller la redemander au comptoir... Enfin, comble de malchance, j'étais si tourmenté au moment où je marquais l'objet que j'ai commis l'erreur de l'estimer bien au-dessous de sa valeur... »

Ensuite, Alice demanda à Snecker s'il savait où l'on pourrait rejoindre M. Tombar.

« Il devait quitter la ville aussitôt après le cambriolage de ce soir, répondit l'homme, mais je crois qu'il ira d'abord à l'Iris-Bleu afin d'enlever une partie des objets qu'il y a entreposés. »

L'interrogatoire terminé, les trois bandits furent conduits chez le commissaire. Alice et Bess accompagnèrent les policiers.

Elles se trouvaient encore en conversation avec M. Morgan lorsque survint James Roy, suivi de M. Taylor, de M. Webb et de Marion. Folle de joie, celle-ci se jeta dans les bras de ses amies en s'écriant :

« Enfin ! Vous voici saines et sauves ! »

James Roy serra sa fille contre lui avec émotion, tandis que questions et réponses se croisaient rapidement. Marion avait retrouvé sa vivacité et son allant, transformation dont se réjouissaient tous ceux qui l'entouraient.

Mais quand Alice apprit que Ned était resté à l'Iris-Bleu, elle s'inquiéta.

« Il y a beaucoup de chances pour que Peter Tombar se rende là-bas, dit-elle à James Roy. Si jamais Ned se laissait surprendre...

— Nous allons retourner immédiatement à l'auberge », décida l'avocat.

Quand le groupe atteignit l'auberge, deux

enquêteurs l'y attendaient. Les alentours de la maison étaient déserts. Ned avait disparu. Quant à M. Tombar, rien ne décelait qu'il fût revenu. Mais, s'apercevant que la porte de la maison n'était pas fermée à clef, les policiers pénétrèrent à l'intérieur. Soudain, des appels étouffés retentirent.

« Vite, à l'aide ! » criait-on.

C'était la voix de Ned ! Tout le monde s'élança vers la cuisine d'où semblaient partir les cris. Et là, les lampes des policiers firent surgir de l'obscurité une scène extraordinaire : Peter Tombar était étendu sur le carrelage où Ned le maintenait fermement, pesant sur lui de tout son poids.

« On peut dire que je suis content de vous voir ! s'exclama le jeune homme. Il y a plus d'une demi-heure que j'ai mis la main sur ce bonhomme et que je me demande ce que je vais en faire ! »

Dès qu'on l'eut débarrassé de son prisonnier, Ned raconta qu'il avait décidé de s'introduire à l'intérieur de l'auberge et de s'y cacher. Peu de temps après, M. Tombar était arrivé à l'Iris-Bleu en taxi.

« Je crois que ce misérable a une voiture ici, dans l'un des bâtiments, continua Ned. Sans compter un joli magot dissimulé au fond du placard, sous l'évier. Il était justement en train de tirer l'argent de sa cachette quand je lui suis tombé dessus... »

De la bataille qui avait suivi, M. Tombar était sorti en fort piteux état, avec ses vêtements déchirés et les deux yeux pochés. Entre ses paupières tuméfiées, luisait un regard haineux et il ne cessait d'invectiver Alice qu'il rendait responsable de sa capture. Les policiers l'emmenèrent enfin, criant et tempêtant de plus belle.

Jerry Goff devait être arrêté une heure plus tard, à l'instant où il s'apprêtait à quitter l'aérodrome de River City pour le Mexique. Puis quelques jours s'écoulèrent avant l'arrestation des deux derniers membres de la bande : un brocanteur et un receleur habitant des villes éloignées.

On trouva dans les caves de l'Iris-Bleu et à l'entrepôt des magasins Morris un grand nombre de caisses pleines d'argenterie et de bibelots dérobés chez divers habitants de River City. Leur contenu fut restitué aux propriétaires.

De son côté, M. Parnell rentra en possession de ses précieux masques qu'Alice avait retrouvés chez Morris. Un soir, le directeur du Joyeux-Carnaval vint remercier la jeune fille.

« Ces masques ont pour moi autant de prix que ma maison de commerce, dit-il, et vous avez tout sauvé !

— À ce sujet, déclara James Roy qui assistait à l'entretien, j'ai une excellente nouvelle à vous annoncer : vos soucis sont vraiment terminés. Vos clients ont en effet renoncé aux procès qu'ils comptaient vous intenter, et s'il devait subsister le moindre litige, cela se réglerait à l'amiable.

— Splendide ! s'écria M. Parnell. Et je dois tout cela à votre fille... N'est-ce pas votre avis, monsieur ? »

James Roy se mit à rire.

Sur ces entrefaites, arrivèrent Marion, Bess et Ned. Quand les présentations furent terminées, M. Parnell expliqua aux jeunes gens le but de sa visite.

« Je ne puis, hélas ! faire grand-chose pour exprimer ma reconnaissance à Mlle Roy, ajouta-t-il. Mais je vais lui donner un masque en signe de gratitude et d'amitié...

— Une cagoule de velours noir ? demanda Alice en plaisantant.

— Oh ! non. J'espère qu'il ne sera plus jamais question de cela », répondit M. Parnell. Et il annonça avec un sourire : « Mon cadeau sera le masque que portait jadis une reine d'Égypte, belle comme le jour... »

Sur ces mots, il ouvrit une boîte d'où il tira deux masques identiques. L'un était une réplique moderne de l'autre, manifestement très ancien.

« C'est magnifique, s'écria Alice, ravie. Merci mille fois, monsieur. Mais, dites-moi, pourquoi y a-t-il deux masques ?

— Le premier est une pièce de collection et vous pourrez porter le second pour aller au bal masqué.

— Je le garderai aussi précieusement que

l'autre, déclara Alice. Car Dieu sait quand je retournerai au bal !

— Ce sera plus tôt que tu ne le penses, observa Ned d'un ton narquois. Comme nous avons manqué le pique-nique et la soirée de samedi dernier, mes camarades ont décidé d'organiser d'autres réjouissances : cette fois, ce sera un bal costumé. Tu n'auras qu'à te déguiser en reine d'Égypte !

— Entendu, fit la jeune fille avec enthousiasme. Comme nous allons bien nous amuser ! » Puis elle demanda à ses amies : « Et vous, comment vous déguiserez-vous ?

— Oh ! moi, tu me connais : je serai en timide bergère qui ne sait même pas compter ses moutons, répondit Bess en riant.

— Je ne suis pas encore fixée, il va falloir que je réfléchisse, dit Marion. Mais, en tout cas, je suis sûre du personnage que je ne chercherai pas à représenter !

— Lequel donc ? questionna Bess, étonnée.

— Celui d'Alice Roy, tiens ! » Et Marion fit semblant de frissonner. « J'ai essayé une seule fois de me travestir à sa ressemblance, mais l'expérience m'a suffi : le jeu est trop dangereux ! »

Table

La Bibliothèque Rose et Verte te présente La Collec'

À la fin de chaque livre des collections Ma Première Bibliothèque Rose, Bibliothèque Rose et Bibliothèque Verte, tu découvriras des points à l'image de tes héros préférés.

1

Découpe-les, collectionne-les et reçois des cadeaux : porte-clés, jeu de 7 familles, cassettes vidéos, CD-Rom...

2

Pour obtenir ton bulletin réponse, c'est très simple : Connecte-toi sur le site **www.hachettejeunesse.com** (rubrique La Collec') ou sur le site **www.canalj.net** (rubrique partenaires), ou envoie sur papier libre ton nom, prénom et adresse complète à :

3

Hachette Jeunesse, La Collec' Service Communication
43, quai de Grenelle, 75905 Paris cedex 15

(offre valable dans la limite des stocks disponibles)

Retrouve tes héros préférés sur

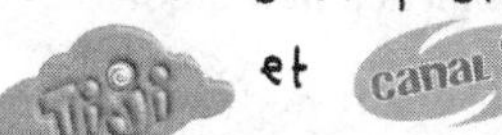

et

Illustrations : Philippe Matter, Christophe Besse, Lucie Durbiano

Composition ***Jouve*** — 53100 Mayenne

Imprimé en France par ***Partenaires-Livres***®
n° dépôt légal : 10073 - mai 2002
20.07.0776.01/3 - ISBN 2-01-200776-7

Loi n° 49-956 du 16 juillet 1949
sur les publications destinées à la jeunesse